Le
Livre
de
Poche
Jeunesse

TEMPÊTE EN PLEIN CIEL

SALAMANDA DRAKE

TEMPÊTE EN PLEIN CIEL

L'ÉCOLE DES DRAGONS

TOME 2

Traduit de l'anglais par Jérôme Jacobs

Illustrations : Gilly Marklew

VALLÉE DES DRAGONS

Pylône nord-ouest

La maison et les écuries

Sellerie
Puits
Cour

Ruisseau

Magasin de fourrage

Arène d'exhibition

Forge

Arène d'entraînement

L'édition originale de ce roman a paru en langue anglaise
chez Chicken House sous le titre :
Dragonsdale, riding the Storm.

© Salamanda Drake, 2008 pour le texte.
© Gilly Marklew, 2008 pour les illustrations intérieures.
© Hachette Livre, 2008, pour la traduction française,
et 2010, pour la présente édition.

Pour Cathy

LES ÎLES DE BRÉSAL

Quelque part dans l'océan, au large des rivages familiers, au-delà de la ligne d'horizon, flotte un immense nuage de brume qu'on appelle «le Voile».

Derrière ce rideau impalpable qui scintille sous le ciel étoilé s'étend une contrée secrète, aux confins du réel et du merveilleux: les Îles de Brésal.

La terre des Bienheureux.

S'y côtoient des êtres humains et le peuple des mers, mais aussi des créatures sauvages comme les pardes, les pérytons, les hurleurs, les chiens de feu… et les dragons.

1

— Congestion pulmonaire, toux rauque, gorge enflée
et les bronches aussi encrassées qu'un conduit de cheminée bouché !

Albéric, le vétérinaire, finissait d'examiner Monte-
en-l'air, dite « Monty ».

— C'est bien ce que je pensais : cette dragonne
souffre d'une calaminite aiguë, annonça-t-il d'une voix
sévère. Il lui faut du calme et du repos.

Il se releva, dépliant avec agilité ses jambes longues
et maigrichonnes.

— Écoute-moi bien, Brianna : tu lui administreras
une dose de mon sirop spécial trois fois par jour. Et ne
t'avise pas de lui donner autre chose que ma propre for-
mule, c'est bien clair ? Je ne veux pas de cette concoc-
tion dont Madame Hildebrand fait grand cas. Peuh !

Une moue désapprobatrice se dessina sur son visage.

— Surtout, pas de viande, poursuivit-il.

À ces mots, Monty leva vers lui des yeux dépités, avant d'être secouée d'une quinte de toux alarmante.

— Et cela va sans dire : pas de voltige ! conclut le vétérinaire.

Il fit les gros yeux à Brianna, comme s'il la croyait capable, dès qu'il aurait le dos tourné, de seller Monty et de pousser sa dragonne malade dans ses dernières extrémités, jusqu'à ce qu'elle s'écrase au sol. Raide morte.

— C'est d'accord, monsieur Albéric, promit Brianna. Vous pouvez me faire confiance.

— Très bien, je n'en attends pas moins de toi, répondit-il en consultant du coin de l'œil le cadran solaire, dans la cour de l'écurie. Oh, il faut que je parte pour Bois Wiverne. Tu comptes assister au concours, toi aussi ?

Brianna baissa les yeux en se mordillant les lèvres.

— Suis-je bête ! fit Albéric, regrettant sa question saugrenue : non, bien sûr, tu dois prendre soin de ta dragonne… Eh bien, quoi qu'il en soit, ne t'en fais pas : elle devrait se remettre rapidement.

Sur ces paroles, il ramassa son matériel, sortit du box et traversa la cour pavée d'un pas majestueux, qui n'était pas sans rappeler celui du héron.

Brianna le regarda se mettre en selle sur un dragon presque aussi long sur pattes et décharné que lui. Le vétérinaire boucla sa ceinture et agita les rênes. Les vastes ailes du dragon se déployèrent, puis l'animal s'élança. Au décollage, les grands pans du pardessus d'Albéric se soulevèrent derrière lui, battant l'air comme pour aider l'animal à prendre son envol.

L'instant d'après, le vétérinaire et sa monture passaient au-dessus de la grande maison de maître de la Vallée des dragons, en pierre de taille. Ils s'enfoncèrent alors dans le contre-jour et il devint presque impossible de les distinguer l'un de l'autre, comme s'ils ne faisaient plus qu'un.

Brianna retourna vers le box, s'agenouilla devant Monty et se mit à caresser la crête bosselée qui se trouvait juste au-dessus de l'œil gauche de la dragonne. Celle-ci semblait complètement abattue. Les yeux chassieux, la goutte au nez, elle ne parvenait pas à trouver une position confortable sur la dalle de pierre ponce qui lui servait de paillasse.

— Oh, ma pauvre Monty, gémit Brianna. Qu'est-ce que je vais faire de toi ? Une calaminite… quelle calamité !

C'est à ce moment que la tête familière de Cara apparut dans l'encadrement de la porte du box.

— Comment va notre malade ? demanda-t-elle.

— Elle continue de tousser comme une vieille chèvre, répondit son amie.

Comme pour confirmer ses dires, Monty laissa échapper un hoquet fumant.

— Est-ce qu'un beau cuissot de péryton lui ferait plaisir ?

Brianna secoua la tête.

— Albéric a dit qu'elle n'avait pas droit à la viande.

— Ah bon, eh bien elle n'a qu'à prendre ça à la place, fit Cara en pénétrant à l'intérieur de la stalle.

Elle se mit à fouiller dans la poche de son blouson de cuir et finit par en extraire une pomme qu'elle offrit à Monty. La dragonne parut offensée et enfouit son nez sous sa queue.

— Monty ! Où sont passées tes bonnes manières ?

Brianna lança un regard contrit à son amie.

— Ne t'inquiète pas, fit Cara. Moi non plus je ne suis pas à prendre avec des pincettes quand j'ai mal à la gorge. Et regarde comme la mienne est petite par rapport à celle de Monty… !

— En effet, soupira Brianna, qui n'était pas d'humeur à rire. Oh, ma pauvre Monty !

— Non, c'est plutôt ma pauvre Brianna qu'il faut dire, corrigea Cara. Tu n'as vraiment pas de chance ces temps-ci. D'abord, tu étais trop malade pour défendre tes chances au concours de Tiredaile et maintenant que tu vas mieux, c'est Monty qui est calaminée. Ce n'est pas juste.

— Certes, approuva Brianna, d'un air songeur. Mais il se passe des choses bien plus tragiques en mer quand on y pense… Dis donc, tu ne devrais pas te mettre en route pour Bois Wiverne ? Il faut que Voltefeu

16

ait le temps de bien se reposer avant le concours d'obstacles.

— C'est pour ça que je suis ici, répondit Cara. Tu vas m'accompagner.

— T'accompagner ?! Oh, Cara, j'aimerais tellement, mais je ne peux pas. Il faut que je reste ici avec Monty.

— Tout ce que veut Monty, c'est dormir, répliqua son amie. Et elle n'a surtout pas besoin que tu t'affaires autour d'elle comme une mère poule.

— Mais… il faut que je lui donne son sirop trois fois par jour, insista Brianna.

Cara haussa les épaules.

— Bran peut tout à fait s'en occuper, répondit-elle en inclinant la tête vers la cour de Dragonsdale, où le chef des garçons d'écurie distribuait des ordres de sa voix de stentor. Il a donné plus de doses de sirop à nos dragons que Gerda n'a cuisiné de repas chauds, c'est dire !

Cara fixa de nouveau Brianna avec intensité.

— Et puis, je ne suis jamais allée à Bois Wiverne… alors tu ne voudrais pas que je me perde en route… ? S'il m'arrivait quoi que ce soit, tu le regretterais toute ta vie…

— Mais… mais… balbutia Brianna en se tortillant les mains.

— Allons, tu ne te défileras pas, cette fois ! Tu n'es pas sortie de Dragonsdale depuis que Monty est tombée malade. Bientôt, c'est toi qui seras toute calaminée. Tout le monde va assister au concours de Bois Wiverne. Papa est parti hier, Wony a décollé à l'aube avec Madame Hildebrand et Wilf fait le voyage sur un dragon porteur de bagages. J'ai préparé ta tenue de vol et Voltefeu est sellé, prêt pour le départ.

Devant cette avalanche d'arguments, Brianna plissa les lèvres, un peu vexée d'être ainsi mise au pied du mur.

— On dirait que tu as pensé à tout...

Puis elle se mit à rire.

— D'accord! Maintenant que j'y réfléchis, je n'ai pas du tout envie de manquer deux concours d'affilée, même si je ne participe pas. Et tu as raison: je ne supporte pas d'entendre Monty tousser comme une malheureuse. Je fais une très mauvaise infirmière. Donne-moi juste le temps de donner des instructions à Bran et... en avant pour l'aventure!

Voltefeu n'aimait rien tant que les grands voyages qui l'emmenaient loin de son box. Il survolait maintenant les gorges de la Cascadine. Un enchevêtrement de rochers aux contours aiguisés jaillissait du torrent furieux, comme autant de dents gâtées.

Le dragon s'inclinait d'un côté, puis de l'autre, au gré des méandres de la rivière. Ses ailes puissantes écartaient les rideaux de gouttelettes en suspension dans l'air et il laissait dans son sillage un tourbillon de vapeur d'eau.

Brianna, assise sur la selle arrière, arracha son casque – au mépris des règles de sécurité – et regarda droit devant elle, par-dessus l'épaule de Cara. Cheveux au vent, riant aux éclats, elle ferma les yeux pour les protéger de la piqûre des gouttelettes mais ouvrit la bouche pour sentir leur fraîcheur sur sa langue.

— Nous allons arriver trempées !

— Quelle importance ? répondit Cara. Nous aurons bien le temps de sécher.

Elle tira tout de même sur les rênes.

— On remonte, Voltefeu !

Discipliné, le dragon laissa échapper un charmant gazouillis en guise d'acquiescement et s'éleva au-dessus de l'eau bouillonnante. Parvenu au sommet des gorges, il s'élança vers le ciel bleu moucheté de petits nuages cotonneux. Puis il obliqua vers la gauche, en direction des sinistres marécages et des herbes rêches de la lande de La Varenne.

— Nous devrions aller davantage vers le sud, intervint Brianna en rattachant la jugulaire de son casque. Nous rejoindrons la côte à hauteur de la Crique aux remous.

Cara hocha la tête de bonne grâce et imprima une légère pression sur les rênes. Elle adorait monter Voltefeu, même dans ce paysage aride et désolé, mais la côte semblait plus prometteuse. Elle n'avait que rarement volé au-dessus de la mer : à Dragonsdale, la formation au pilotage de dragons s'effectuait au-dessus des landes ou des champs verdoyants des Walds.

19

Mais elle avait entendu dire que la côte sud-ouest de Havremer offrait certains des paysages les plus spectaculaires de tout l'archipel des Brésal et elle avait envie de les découvrir.

Voltefeu poursuivait son ascension. Bientôt, Cara distingua un scintillement argenté dans le lointain, qui s'élargit pour atteindre la taille d'un ruban, puis d'un grand morceau de tissu. Enfin, une vaste étendue d'eau bleue miroitante se dessina, qui s'étirait jusqu'à l'horizon.

Brianna plissa les yeux et regarda en direction du sol.

— C'est la Crique aux remous !

Ils effleurèrent le sommet de falaises de granit, puis survolèrent une plage de sable doré sur laquelle des vagues aux crêtes blanches venaient mourir.

— C'est merveilleux ! s'écria Cara. Toi aussi, tu adores la mer, hein, Voltefeu ?

Elle se pencha vers l'avant et caressa le long cou du dragon. Celui-ci répondit d'un gargouillement approbateur.

— Ah, si seulement nous avions le temps de nous arrêter et de visiter cet endroit ! commenta Brianna. Peut-être un autre jour… J'aimerais amener Monty ici, quand elle se sentira mieux. Cela me fait tout drôle de voler sans elle.

La fillette tapota affectueusement les flancs de Voltefeu.

— Je ne dis pas ça pour te vexer, hein ?

Puis elle agrippa le bras de Cara et pointa un doigt vers la mer.

— Dis donc ? C'est quoi, ces drôles de formes dans l'eau, tout là-bas ?

Cara orienta Voltefeu dans cette direction et, bientôt, elle aperçut elle aussi ces ombres qui se déplaçaient sans effort sous les vagues.

— Oh, regarde, Cara, ce sont des dauphins !

Plusieurs créatures étranges jaillirent alors de l'eau.

— Ah non, je me suis trompée, corrigea la fillette : ce sont des marsouins.

— Des marsouins ? Oh… c'est dommage, soupira Cara, déçue.

— Comment ça, dommage ? ! Tu en vois souvent des marsouins, toi ? s'insurgea Brianna.

— Désolée, expliqua Cara. C'est juste que… je pensais que c'était peut-être le Peuple des mers.

— Oh, je vois… Le Peuple des mers, hein ? répliqua Brianna d'une voix amusée. Toi et tes histoires à dormir debout ! Tu auras de la chance si tu en aperçois jamais un spécimen… Le Peuple des mers s'arrange pour qu'on ne le voie jamais. Quoi qu'il en soit, il traîne rarement par ici. Son repaire, c'est la baie qui porte son nom et les environs.

Cara hocha la tête, dépitée. Depuis toute petite, elle adorait les contes – les histoires à dormir debout – qu'on racontait le soir à la veillée au sujet du peuple des mers. Elle avait toujours rêvé d'en voir un représentant. Mais c'était une gent timide, et qui semblait avoir peu de temps à consacrer aux êtres humains.

«Oh, tant pis, songea-t-elle, peut-être un jour... Allez, remettons-nous en route!»

Cara secoua les rênes.

— En avant, Voltefeu! Nous ne voulons pas arriver en retard pour la compétition.

Le dragon plongea vers le sol, non sans adresser un long cri d'adieu aux marsouins qui continuaient d'on-

duler sous la surface de l'eau, et reprit la direction du rivage.

Ils longèrent la côte. Peu à peu, le sable de la Crique aux remous laissa la place à d'imposantes falaises

qui s'élançaient vers le ciel. Nichés sur leurs arêtes rocheuses, des oiseaux de mer prenaient l'air, le bec au vent. En apercevant les intrus, ils se mirent à leur lancer des insultes criardes.

Au sommet des falaises grisâtres poussait une luxuriante prairie piquetée d'ajoncs jaune vif et de fleurs sauvages aux nuances multicolores. En contrebas, les vagues infatigables venaient exploser contre les rochers, envoyant vers le ciel des jets d'eau dont les gouttelettes étaient aussi fines que des volutes de fumée.

Au bout d'un moment, Brianna tapota Cara sur l'épaule.

— Il est temps de regagner l'intérieur des terres. Nous ne sommes plus très loin maintenant.

Cara regrettait que leur voyage touche à sa fin. À dos de dragon, elle se sentait différente, beaucoup plus épanouie que sur la terre ferme : son esprit était plus vif, son corps parfaitement équilibré, ses sens aiguisés. Tout lui paraissait magique, dans les airs : le soleil sur son visage, le souffle du vent, les battements puissants des ailes du dragon, le scintillement de ses écailles.

Sans oublier le Pacteconfiance qui unissait le dragonnier et sa monture, intangible mais aussi solide que l'acier. L'un et l'autre étaient plus proches que des êtres liés par le sang ou l'amitié, d'une manière que ne pourrait jamais comprendre quiconque n'avait jamais monté de dragon.

— Nous sommes arrivés !

Le cri exubérant poussé par Brianna brisa net la rêverie de Cara.

Quelques instants plus tard, le trio se retrouva entouré de dizaines de petites créatures semblables à des dragons, mais qui n'avaient que deux jambes. Elles jaillissaient des arbres à leur passage.

— Ça, par exemple ! Des wivernes ! s'écria Cara, abasourdie.

Son amie éclata de rire.

— Eh bien, qu'espérais-tu donc trouver à Bois Wiverne ! Des pérytons ?

En relâchant la pression qu'elle exerçait de sa main droite et en s'aidant des rênes des jambes, Cara invita le dragon à décrire un saut périlleux en signe de victoire et à laisser exploser sa joie. Aussitôt, Voltefeu replia ses grandes ailes, puis les détendit d'un coup et exécuta une magnifique galipette aérienne. Cara partit d'une cascade de rires : le paysage et les nuages lui donnaient l'impression de tourbillonner autour d'elle.

Brianna resserra son étreinte sur la veste de cuir de Cara.

— La prochaine fois que tu exécutes ce genre de pirouette, préviens-moi, d'accord ? !

— Je te demande pardon, Brianna... Je n'ai pas pu résister !

Cara se pencha vers le sol.

— Regarde, là-bas, c'est Wilf !

Elle fit redescendre Voltefeu pour qu'il aille se positionner juste à côté d'un dragon porteur de bagages qui rasait pitoyablement la cime des arbres. Aussitôt, le malheureux animal poussa un cri de mécontentement et se tourna vers Voltefeu avec une expression de reproche, comme pour lui dire : « Ah, les jeunes d'aujourd'hui ! Et le code des airs, alors ? ! »

Mais le jeune garçon chétif qui le montait arbora un large sourire et agita une main en direction de Cara et de Brianna, qui firent de même.

— Tu as vu, Wilf ? Nous y sommes ! C'est Bois Wiverne ! s'exclama Cara.

Le palefrenier maigrichon, qui montait son dragon en croupe, haussa les sourcils avec surprise.

— Hein ? Comment ? Enfin ? Mais… je ne vois rien !

Brianna se mit debout sur ses étriers et plaça les mains devant sa bouche pour qu'il entende bien ce qui allait suivre :

— Ouvre donc les yeux, espèce de ballot !

— Oh, non, non, non… sûrement pas ! balbutia-t-il. Je ne les ouvrirai que quand mon dragon aura mis pied à terre ! Oh là là, je déteste les dragons ! gémit-il. Je déteste être en l'air ! Je déteste monter sur le dos de ces monstres ! Je hais trop la vie…

Cara ne put que sourire en entendant cette litanie de lamentations et elle tira sur la rêne de droite. Voltefeu effectua un virage à 90 degrés et se laissa glisser en direction du sol.

Impressionnée, Brianna émit un long sifflement.

— Dis donc, Cara, on dirait que nous ne sommes pas tout seuls ! J'ai rarement vu un tel encombrement…

Elle avait raison. Le ciel s'était soudain rempli de dragons. Des cinq haras que comptait Havremer, Bois Wiverne se trouvait le plus au sud et était le plus éloigné de la capitale de l'île, La Pointe Sud. Pourtant, il y avait manifestement de l'affluence. On se pressait pour assister au concours annuel.

Les dragonniers et leurs montures arrivaient de tous les endroits de l'île, comme simples spectateurs ou pour participer à la compétition.

Cara sentait l'excitation monter en Voltefeu, au spectacle de tous ces dragons inconnus.

— Calme-toi, mon garçon ! Ne t'emballe pas…

Ils survolaient maintenant le haras.

— C'est très différent de la Vallée des dragons, n'est-ce pas ? commenta Cara. La maison et les écuries sont bien séparées, pas du tout comme à la maison.

— Oui. Et tu as vu leur tour de garde, comme elle est haute ? renchérit Brianna. J'imagine que c'est indispensable pour que les vigies voient au-dessus des arbres.

Et de pointer le doigt vers une plate-forme élevée, qui était installée sur une structure de bois à ciel ouvert. Elle ressemblait davantage à un pylône qu'à une tour. Depuis le sommet, les vigies de Bois Wiverne pouvaient surveiller l'arrivée des dragons en visite (tout à fait bienvenus), les balises d'urgence – qui s'allumaient pour battre le rappel de la Garde volante en cas de danger (ce qui aurait été plutôt malvenu en la circonstance) – et d'éventuels prédateurs en maraude, susceptibles d'arriver à tout moment des landes ou des collines avoisinantes (qui auraient été tout à fait mal-venus).

À mesure qu'ils se rapprochaient de la tour, plusieurs fanaux de couleurs vives firent leur apparition, l'un après l'autre : Cara déchiffra les signaux avec soin. On lui donnait pour instruction d'attendre la permission d'atterrir. Disciplinée, elle demanda à Voltefeu d'agiter les ailes en signe d'acquiescement, puis elle le fit virer vers la droite pour rejoindre la vingtaine de dragons qui tournoyaient au-dessus de la forêt, attendant que le personnel au sol leur donne le feu vert pour se poser.

— J'espère qu'ils ne vont pas nous faire attendre trop longtemps, marmonna Brianna.

Puis ses yeux s'écarquillèrent.

— Oh, tu as vu ça ? ! s'exclama-t-elle d'un ton scandalisé.

Le personnel au sol venait d'autoriser le dernier équipage arrivé du nord-est à atterrir directement. Il y avait de toute évidence des privilégiés !

Cara tourna la tête en direction des nouveaux venus. Il s'agissait d'un dragon essoufflé, monté par une jeune personne vêtue d'un habit d'apparat bleu, immaculé.

Elle avait les mains crispées sur les rênes et hurlait des ordres contradictoires à sa monture.

— Oh non, je n'en crois pas mes yeux. C'est Hortense ! gronda Cara en grinçant des dents.

Tel un sémaphore, Brianna se mit à mouliner des bras pour exprimer sa désapprobation. Mais l'aiguilleur du ciel perché sur la tour de contrôle ne lui prêta aucune attention.

2

À son tour, Voltefeu manifesta son mécontentement. Il produisit une volute de fumée en guise de coup de semonce et s'apprêtait à cracher le feu. Cara dut lui tapoter le cou pour le calmer. Il faut dire que la brève période pendant laquelle Hortense avait été la maîtresse du dragon, l'année précédente, n'avait guère contribué à la faire entrer dans les bonnes grâces de l'animal.

Brianna poussa un grommellement furieux.

— Incroyable ! Pourquoi ne peut-elle pas attendre son tour comme tout le monde ? Ce n'est pas comme si le haras lui appartenait…

— Hum… Si, c'est exactement ça, en fait, corrigea Cara. Enfin, il appartient à son père. Tu ne voudrais tout de même pas que la fille du Seigneur de Havremer fasse la queue comme tous les autres manants qui viennent traîner leurs guêtres ici ? Et puis, elle y prend tellement de plaisir : elle sait bien que ça énerve tout le monde…

— Oui, elle est tellement prévisible, n'est-ce pas ? Toujours prête à faire des histoires si l'occasion se présente…

Les deux fillettes passèrent encore quelques minutes à échanger des commentaires peu amènes au sujet d'Hortense. Au sol, la foule des spectateurs se pressait autour des tentes bariolées de couleurs vives, telle une armée de fourmis curieuses et affairées, bousculée de temps à autre par les enfants et quelques chiens qui batifolaient en poussant des jappements de joie dans un tohu-bohu désordonné.

Dans les allées marquées de piquets entre les tentes et l'arène, les dragons qui étaient arrivés plus tôt se voyaient offrir un bon repas et un nettoyage bienvenu.

Cara parcourut l'arène du regard.

— Elle a l'air plus petite que la nôtre.

— Elle l'est, confirma Brianna. Certains virages sont plutôt secs.

— Aucun problème pour toi, Voltefeu, observa Cara. Les virages en épingle à cheveux, ça te connaît !

Le dragon étira le cou, puis tourna la tête vers sa maîtresse et la gratifia d'un regard d'adoration et d'un petit mugissement de plaisir.

Les uns après les autres, les dragonniers et leurs montures étaient invités à se poser dans une grande clairière, située entre l'arène et la forêt. Certains dragonniers arboraient du vert, la couleur de la Vallée des dragons, les autres défendaient les couleurs de leurs haras respectifs : rouge vif pour la Tarasque, bleu pour Gantailé, marron pour Drakelodge. Certains portaient la veste bigarrée de propriétaires privés.

— Voilà le père d'Hortense, annonça Cara.

Elle et Brianna observèrent le convoi de Lord Torin atterrir sur une piste qui avait été aménagée spécialement pour les dragons qui tiraient derrière eux des calèches.

— Peuh ! Regarde-le ! s'exclama Brianna avec mépris. Tiré à quatre épingles, une main posée sur son chapeau de peur qu'il s'envole et agrippé au garde-fou comme s'il n'avait jamais volé de sa vie !

La calèche de Lord Torin vint se poser avec élégance, ses patins dessinant deux belles traces parallèles dans l'herbe luxuriante. Les dragons qui la tiraient ralentirent progressivement l'allure et la voiture s'immobilisa.

Enfin, Cara reçut le signal tant attendu. C'était leur tour d'atterrir ! En dépit de sa taille et de son poids, Voltefeu se posa avec la légèreté d'un duvet de chardon. Cara ôta son casque et glissa au sol.

Un jeune garçon d'écurie attrapa les rênes du dragon. Sur son visage, se dessinait un sourire qui frisait l'impertinence.

— Bonjour, mademoiselle Cara !

La fillette ressentit une fierté ridicule : quelqu'un l'avait reconnue ? ! Si loin de la Vallée ?

— Bonjour, répondit-elle, flattée. Comment se fait-il que tu me connaisses ?

— J'ai assisté au championnat de l'Île à la dernière chute des feuilles. Vous avez exécuté un sacré parcours. Vous auriez dû gagner. J'ai manqué le concours de Tiredaile le mois dernier, mais tout le monde dit que vous avez surpassé tous les autres concurrents, et de loin !

Cette avalanche de compliments fit rosir Cara.

— Oh, j'étais dans un bon jour, voilà tout, expliqua-t-elle avec modestie.

— Avec un dragon comme celui-ci, vous n'avez pas besoin de bons jours ! corrigea le palefrenier.

Il se mit à tapoter le museau de Voltefeu, admiratif au spectacle de la crête d'or qui ornait son front.

— C'est la première fois que j'en vois un de si près. Un Crête d'or… Qu'il est beau !

Brianna mit à son tour pied à terre et rejoignit Cara, quelque peu vexée de se voir ainsi rabaissée.

— Oui, il a de grandes qualités. Mais il a aussi une dragonnière hors pair. Tout à l'heure, ils remporteront la démonstration de vol de niveau intermédiaire pour la seconde fois consécutive, tu verras.

Elle se saisit des rênes de Voltefeu.

— Suis-moi, Cara. Je vais te montrer où nous allons.

Plantant là le garçon d'écurie, elle leur fraya un

chemin entre les rangées d'enclos à claire-voie. Au passage de la jeune fille rousse et fantasque qui avait causé tant d'émoi au championnat de l'année précédente, suivie de son amie aux cheveux de jais, dragonniers et palefreniers s'immobilisaient et chuchotaient entre eux. Ni l'une ni l'autre n'avaient conscience du trouble qu'elles suscitaient.

— Nous y voilà !

Brianna aida Cara à guider Voltefeu à l'intérieur de son box et à l'y installer confortablement. Soudain, la tête de Wilf, tout ébouriffé, apparut dans l'encadrement de la porte. Il avait l'air inquiet, comme à son habitude, mais au moins avait-il désormais les yeux ouverts.

— Salut, les filles !

Cara se retourna vers lui en haussant un sourcil.

— Salut… Wilf. Je constate que tu as survécu à ce terrible voyage…

Le jeune garçon entreprit de se masser le dos avec énergie.

— Oui, mais il me faudra du temps pour m'en remettre. J'ai mal partout. Si vous saviez comme je déteste voler… !

— Tu fais bien de nous prévenir. Je crois que tu ne nous l'avais jamais dit, ironisa Cara.

— Je ne comprendrai jamais quel plaisir vous pouvez éprouver à vous balader en l'air à dos de dragon. Tout ce bruit ! Tout ce vent ! Ce tangage perpétuel ! Et que je te penche en avant et que je te penche en arrière… !

Quand ce n'est pas un véritable roulis : et que je vire à gauche et que je vire à droite ! Oh, j'en ai mal au cœur rien que d'y penser... Ce sont des animaux... des animaux... dangereux ! Et... inconfortables !

Voltefeu adressa à Wilf un regard plein de reproche et poussa un mugissement vengeur.

— Oh... je... je ne parlais pas de toi, bien sûr, s'empressa d'ajouter le jeune garçon. Toi, tu es un coussin d'air...

Cara secoua la tête.

— Tu n'es venu nous voir que pour te lamenter sur ton sort, ou tu veux quelque chose ?

— Ah oui ! J'oubliais... répondit Wilf en plissant le front.

Il était censé transmettre un message, mais quel message ? Il était pour l'heure enfoui dans quelque mystérieux endroit au fond de sa mémoire...

Soudain, son regard s'éclaira.

— Ah oui ! Je m'en souviens, maintenant. J'étais venu vous dire que... que... que... Ah, cette fois, j'y suis : que le Maître des dragons vous fait dire que si vous avez pensé à apporter... « ce que vous savez », eh bien... que... que... vous pouvez aller le lui donner tout de suite. Par contre...

Tout penaud, Wilf marqua un temps d'arrêt.

— Par contre ?

— ... Par contre, je ne sais plus de quoi il s'agit...

Cara éclata de rire.

— Oui, eh bien, moi je le sais et ça ne te regarde pas.

Elle se mit à fouiller dans les sacs accrochés à la selle de Voltefeu et en sortit quelque chose qu'elle dissimula derrière son dos, pour le soustraire au regard indiscret de Wilf.

— Brianna, tu peux commencer à préparer Voltefeu, s'il te plaît ? J'en ai pour une minute.

Cara trouva son père en train de converser d'un air pincé avec Lord Torin. Depuis que celui-ci avait revendu Voltefeu à Huw, les relations entre le Seigneur de Havremer et le Maître de la Vallée des dragons n'étaient pas au beau fixe.

Le Maître des dragons avait racheté Voltefeu pour un prix beaucoup plus élevé que celui payé à l'origine par Lord Torin mais, malgré tout, pour une raison qu'il s'expliquait mal, ce dernier continuait à penser qu'il avait fait une mauvaise affaire. Peu de temps après, il avait transféré sa fille, Hortense, de la Vallée des dragons à la Tarasque, le haras rival de celui de Huw.

Homme à la silhouette corpulente, Lord Torin se plaisait à prendre une pose aristocratique. Au ton de sa voix, on aurait cru qu'il réprimandait un serviteur qui aurait versé de l'eau trop chaude dans sa baignoire. On n'aurait jamais dit qu'il s'adressait au Maître de la Vallée des dragons.

— Je dois dire, Maître des dragons, *pppffff…* que ma fille n'est plus la même depuis qu'elle a quitté votre haras… *pppfff…* Elle s'est magnifiquement épanouie à la Tarasque… Elle progresse à pas de géant… *pppfff…* à pas de géant !

Pendant qu'il s'épongeait le front, Cara revit l'image d'Hortense, désespérément agrippée à un dragon qui faisait des bonds, tel un cabri dément. Elle étouffa un gloussement… mais Lord Torin la fusilla du regard avant de tourner les talons.

Le Seigneur de Havremer lui en voulait terriblement. Parce qu'elle montait Voltefeu, que sa chère Hortense n'avait jamais réussi à dompter. Et surtout parce qu'elle remportait avec lui toutes les compétitions…

— Ah, Cara, fit Huw en se forçant à sourire à sa fille. Tu as apporté mes… hum… ?

— Les voici, papa.

Cara glissa les lunettes de son père dans la poche de sa tunique, en s'assurant que personne n'observait la manœuvre. Le Maître des dragons était très embarrassé de devoir en porter. Il ne les chaussait que dans son bureau ou lorsqu'il était juge dans un concours, ce qui était le cas ce jour-là : il aurait besoin de relire ses notes et ses listes.

— Merci, dit-il en tapotant sa poche.

— Tu fais partie du jury de la démonstration de vol de niveau intermédiaire ?

Huw hocha la tête.

— Niveaux intermédiaire et supérieur. Et aussi de celui des Acrobaties aériennes.

— Alors je te verrai dans l'arène. À tout à l'heure !

Elle s'apprêtait à faire demi-tour lorsqu'elle sentit la main de son père se poser sur son épaule.

— Cara… Je te souhaite bonne chance. Et… fais bien attention, surtout ! lui glissa-t-il en la regardant avec intensité.

Cara réprima un grognement. Son père oublierait-il jamais que sa mère avait trouvé la mort en chutant du dos d'un dragon ? Cesserait-il un jour d'imaginer et de craindre que le même sort pourrait être réservé à Cara ?

« Non, se dit-elle. Non, bien sûr. »

Alors, mieux valait répondre docilement :

— Oui, papa. Tu peux compter sur moi.

Cara se rendit ensuite à l'intérieur de l'arène où les diverses épreuves allaient avoir lieu. Elle étudia avec soin son propre parcours, mémorisant la position des obstacles et l'ordre dans lequel elle devrait les franchir. Puis elle alla récupérer sa selle de compétition dans la tente où tous les bagages étaient entreposés. Elle fut de retour au box de Voltefeu juste à temps pour entendre Wilf grommeler d'une voix geignarde :

— Je demandais juste…

À en juger par la raideur et l'expression exaspérée de Brianna, Cara en conclut que le jeune garçon avait encore manqué de tact.

— Tu demandais juste quoi… ?

En l'apercevant, Wilf parut soudain soulagé.

— Je demandais simplement à Brianna si elle allait piloter un autre dragon aujourd'hui, vu que le sien est malade, c'est tout, et elle a fait sa bêcheuse…

— *Tu lui as demandé quoi… ? !!* s'écria Cara, éberluée devant l'ignorance persistante de Wilf. Il y a bientôt un an que tu vis avec nous. N'as-tu donc rien appris ? Rien de rien ?

Wilf prit l'air blessé.

— Mais si, bien sûr ! protesta-t-il. J'ai appris par quel bout il faut prendre une pelle, et aussi qu'il ne faut pas vider trop rapidement le contenu d'une brouette de fumier, sinon elle vous explose à la figure, et aussi que…

— Félicitations, Wilf, interrompit Cara brutalement. Mais nous ne t'avons jamais parlé du Pacteconfiance ?

Wilf hocha la tête avec méfiance.

— Ben, c'est-à-dire que… si…

— Alors, tu sais que chaque dragonnier doit nouer un Pacteconfiance avec sa propre monture. Ce Pacteconfiance unit donc deux individus.

— Oui, mais il y a des gens à la Vallée qui montent des dragons différents ! s'insurgea Wilf. En moins d'un an, Hortense, par exemple, en a monté trois !

— C'est parce qu'elle n'avait noué de véritable Pacteconfiance avec aucun d'entre eux ! Et c'est la raison pour laquelle elle ne vaut rien du tout comme dragonnière.

40

Cara inspira fortement. Dès qu'il lui fallait expliquer quoi que ce soit à Wilf, la tête lui tournait.

— Il est vrai que, dans une certaine mesure, n'importe quel dragonnier peut monter n'importe quel dragon, à condition qu'il se contente de se rendre d'un point à un autre, pour délivrer un message, par exemple. Mais pour tout ce qui exige que le dragonnier et sa monture se comprennent l'un l'autre – la chasse, les tours de garde et surtout les concours de saut d'obstacles ou d'acrobaties aériennes – il est impossible de sauter en selle sur un dragon inconnu et d'espérer qu'il va comprendre ce que tu attends de lui. Le Pacteconfiance entre un dragonnier et sa monture est quelque chose de spécial, d'unique. Certains dragons n'acceptent d'être montés que par une seule personne…

— Ah, je vois : comme toi et Voltefeu, répondit Wilf, satisfait de sa propre vivacité d'esprit. Il ne laissait personne le monter, avant toi.

— Exactement ! Pour Brianna, participer à une compétition sur le dos d'un autre dragon reviendrait à le monter avec un bandeau sur les yeux, pieds et poings liés. Et encore faudrait-il qu'elle s'y résigne…

Brianna adressa une mise en garde silencieuse à Cara.

— … ce qu'elle ne pourrait pas faire, ajouta vivement cette dernière. Ce serait comme si un joueur de flûte se mettait à vouloir jouer du luth.

— Ça va, ça va, j'ai compris, fit Wilf. Je suis désolé, Brianna, je ne me rendais pas compte que…

41

— Ah, te voilàààà !

Les excuses de Wilf furent interrompues net par la voix puissante de Madame Hildebrand, l'Instructrice principale de la Vallée des dragons. Elle arborait une tenue impeccable, comme à son habitude, sa cravache bien calée sous l'aisselle droite.

— Vous me cherchiez ? demanda poliment Cara. Quelles nouvelles de Wony ?

Le regard que lui adressa alors Madame Hildebrand la fit rentrer sous terre.

— Je ne m'adressais paaas à toi, Caraaa. Je pars du principe que, quels que puissent être leurs multiples défauts, les dragonniers de la Vaaallée sont capables d'arriver à l'heure aux compééétitions. Wony est un peu fatiguée. C'est un long voyaaage pour une débutante. Mais elle et son dragon se sont reposés et j'imagine qu'ils sont maintenant en piste pour le concours d'élégance. Quoi qu'il en soit, je n'ai pas le temps de bavaaarder. C'est Wilf que je voulais voir.

Le jeune garçon se mit au garde-à-vous. Madame Hildebrand le terrifiait.

— Le Maître dit que tu dois rejoindre l'équipe qui se trouve dans l'arène.

Déjà pâle d'ordinaire, le visage de Wilf vira au blanc cadavérique. Il en oublia la peur que lui inspirait Madame Hildebrand pour protester faiblement :

— Dans… dans l'arène ? Mais… mais… ils vont peut-être me demander d'escalader des poteaux et… je… j'ai le vertige !

— Tu as le mal des hauteurs ?

Wilf hocha vivement la tête.

— Billevesées ! La hauteur n'a jamais fait de mal à personne. C'est le fait de tomber par teeerre qui risque de te tuer. Et si tu as peur du sol, nous n'avons d'autre solution que de t'expédier en hauteur dès que possible, n'est-ce paaas ?

Elle ne laissa pas le temps au jeune garçon de démêler ce raisonnement pour le moins surprenant. Elle s'éloignait déjà à grandes enjambées vers sa mission suivante. Le souffle coupé, une main plantée dans sa tignasse désordonnée, Wilf adressa un petit signe de tête aux deux filles et prit la direction de l'arène en traînant les pieds, comme s'ils pesaient une tonne chacun.

— Pauvre Wilf. Il n'a pas fini de se faire des cheveux… ni de se les arracher ! fit Cara avec un clin d'œil.

Mais Brianna resta de marbre. Elle se mit à fixer Cara avec une expression profondément malheureuse.

— Désolée, je n'ai pas le cœur à rire. C'est la dernière année où j'aurai la possibilité d'être championne Junior. L'an prochain, je serai trop âgée, et je ne me suis même pas encore qualifiée pour le Championnat de l'île. J'ai à peine pu m'entraîner sur Monty cette saison, et il ne reste plus que trois concours après celui-ci.

— Ce n'est pas si grave, fit Cara d'un ton compatissant.

— Voyons, tu sais bien que si je ne décroche pas le

championnat Junior, Galen ne me prendra pas dans la patrouille.

— Oui, mais…

— Bonjour, Brianna ! Bonjour, Cara.

Au son de cette voix discordante, les deux amies rentrèrent la tête dans les épaules et se retournèrent avec une appréhension mêlée de colère. Hortense se tenait à l'entrée du box. Voltefeu poussa un grognement hostile. Aussitôt, Cara s'empara de son licol. D'une voix crispée, Brianna demanda :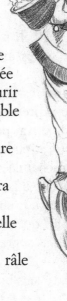

— Qu'est-ce que tu veux, Hortense ?

— Oh, j'ai appris que Monte-en-l'air était malade. Je voulais te dire que j'étais désolée que tu ne puisses pas concourir aujourd'hui. Ce doit être terrible pour toi. Quelle malchance !

Hortense darda un sourire conquérant.

— J'espère qu'elle se remettra bien vite.

Puis, sans un mot de plus, elle s'en retourna.

Voltefeu laissa échapper un râle de dégoût.

— Elle a bien choisi son moment, cette mijaurée ! s'exclama Brianna, les mains sur les hanches. Je me suis couverte de ridicule devant Hortense ! C'est un comble !

— Tu ne t'es pas couverte de ridicule, rétorqua Cara. Mais je me demande ce que cache cette petite scène qu'elle vient de nous jouer : Hortense désolée des malheurs d'autrui… Si c'était sincère, ce serait une première.

Brianna plissa les yeux en hochant la tête.

— Oui, tu as sans doute raison. Je me demande ce qu'elle peut bien mijoter, et ça ne me dit rien qui vaille.

3

Brianna racla une dernière tache de boue sur les écailles étincelantes de Voltefeu et se redressa en poussant un soupir de contentement.

— Voilà ! J'ai terminé, commenta-t-elle en se frottant les reins. S'il ne gagne pas le concours d'élégance après tous ces efforts, je mangerai cette brosse.

— Aïe !... Je ne t'avais pas prévenue ? demanda Cara.

— Prévenue de quoi ?

— Eh bien… je ne l'ai pas inscrit au concours d'élégance.

Brianna contempla d'abord la brosse, puis son amie.

— Dans ce cas, pourquoi m'as-tu laissée l'astiquer de la sorte pendant toute une heure sans rien dire ?

— Il a quand même besoin d'être présentable, même s'il ne concourt que pour la démonstration de vol. Tu sais combien les apparences comptent dans l'arène…

— Je crois que c'est toi qui as besoin d'un bon nettoyage ! s'écria Brianna en brandissant sa brosse de chiendent vers son amie, avant de se jeter sur elle avec des éclairs dans les yeux.

Cara recula de trois pas dans un éclat de rire.

— Pitié ! Si je ne l'ai pas inscrit, c'est parce que le concours d'élégance a lieu en même temps que l'épreuve d'obéissance pour dragonniers novices et que je voulais soutenir Wony. Avec tous les progrès qu'elle a faits ces derniers temps, elle a une chance de décrocher une rosette aujourd'hui.

— Ah… bon… dans ce cas…

Brianna laissa tomber sa brosse.

— Mais tu as quand même besoin d'un bon récurage. Vraiment. Alors, dépêche-toi d'aller enfiler ta veste d'apparat ! Nous essaierons ensuite de rendre présentable ta crinière hirsute.

Elle fit la moue en contemplant les tresses enchevêtrées de Cara.

— Il va me falloir encore plus de temps que je n'en ai consacré à Voltefeu…

Lorsque Cara fut enfin revêtue de la précieuse tenue d'apparat qu'elle avait héritée de sa mère, aussi impeccable que son dragon, l'heure était venue pour les novices de faire leur entrée dans l'arène qui leur était réservée.

— Sois bien sage en notre absence, dit-elle à Voltefeu.

Le dragon poussa un grondement de mécontentement.

— Oh, que tu es émotif ! s'écria Cara en caressant la crête que l'animal arborait au-dessus de l'œil. Ne t'inquiète pas ! Nous ne serons pas parties longtemps, et puis tu pourras nous suivre du regard : nous serons juste là-bas, tu vois ?

Elle eut beau faire, Voltefeu n'appréciait pas qu'on le laisse seul dans un endroit inconnu. Il émit de petits cris de détresse et rejeta la tête en arrière.

— Je pourrais rester avec lui, suggéra Brianna.

Cara pouffa de rire.

— Pas besoin ! Il fait juste l'enfant gâté. N'est-ce pas, mon gros bébé ?

Elle frotta vigoureusement le cou du dragon et vérifia qu'il était solidement attaché au piquet : elle craignait qu'il n'essaie de les rattraper dès qu'elles auraient le dos tourné.

Puis les deux filles prirent la direction de l'arène pour observer les évolutions de Wony. L'arène des novices était entourée de stands. Dans certains, on pouvait acheter des pommes de terre rôties, des châtaignes et d'autres denrées fort appétissantes (comme les « Saucisses grillées aux piments : de quoi vous donner une haleine de dragon ! »). D'autres stands proposaient des objets qui avaient tous à voir avec les dragons : tenue de monte, sellerie, outils et brosses, cirage et remèdes de charlatan, dragons miniatures piqués sur des bâtonnets et cerfs-volants en forme de dragon.

Derrière les stands, une partie de quilles allait bon train. Chaque lancer habile était accueilli par des cris enthousiastes, mais quand la cible était manquée, il fallait en passer par des railleries ou des grognements. Dans l'allée, certains des garçons d'écurie de Bois Wiverne, qui avaient le sens du commerce, tentaient de vendre des paniers de fumier encore fumant aux spectateurs jardiniers (« Fraîcheur garantie : sorti tout droit du dragon ce matin ! »). Des groupes se formaient, des conversations s'engageaient, on évaluait la qualité des produits proposés, on saluait de vieilles connaissances, on profitait du beau temps et de la compagnie.

— Nous avons gagné ! Nous avons gagné !

Une voix familière se fit entendre dans la foule.

Wony se fraya un chemin en jouant des coudes, flanquée de Frelon, pas peu fier. Arrivée à hauteur de Cara, elle brandit juste sous son nez une grosse rosette en or.

— Première place au concours d'élégance ! Ma première rosette en or ! annonça-t-elle d'une voix triomphante, un sourire jusqu'aux oreilles.

— Formidable ! s'écria Cara. Tu es récompensée pour toutes ces heures passées à pomponner Frelon. Je t'avais bien dit que ça en valait la peine.

Wony contempla sa rosette en fronçant les sourcils.

— J'espère seulement que je réussirai aussi bien l'épreuve de vol.

— Tu t'améliores de jour en jour, constata Cara. Et plus tu t'entraîneras, plus tu progresseras. Tu connais le point de vue de Madame Hildebrand sur la question : « On ne naît pas dragonnier. On le devient à force de travail. »

— Mais toi, tu n'avais jamais monté de dragon quand tu as réalisé le seul parcours sans faute au dernier Championnat de l'île ! protesta Wony. Et tu as gagné le concours de Tiredaile à ta première tentative. Tu n'as pas besoin de travailler : tu es bel et bien née dragonnière.

— … Et tu es bel et bien prise à ton propre piège ! intervint Brianna avec amusement.

Cara sentit le rouge lui monter aux joues.

— Peu importe… hum ! Nous devons tous nous entraîner, sans exception.

— Certes, reprit Wony. Mais certains d'entre nous en ont davantage besoin que d'autres…

Une voix profonde et grave les arracha à leur discussion.

— *Les concurrents de l'Épreuve d'obéissance pour débutants sont priés de se rendre dans l'arène.*

— Oh, il faut que j'y aille ! fit Wony. Je ferais mieux d'échauffer Frelon. Tu peux prendre soin de ma rosette ? demanda-t-elle à Brianna.

Celle-ci attrapa l'objet qu'elle convoitait tant… Cara comprenait exactement ce que ressentait son amie. Pendant toutes les années où son père lui avait interdit de voler, elle s'était maintes fois demandé si elle monterait jamais un dragon. Quant à remporter une rosette…

— Ne t'en fais pas, dit-elle à Brianna. Tu en gagneras une, quand Monty sera rétablie. Et ce ne sera pas pour le concours d'élégance, mais pour le sans-faute intermédiaire.

— Pour y parvenir, il faudrait d'abord que je te batte, répondit Brianna du tac au tac.

L'espace d'un instant, Cara demeura muette, ce qui ne lui arrivait pas souvent. Tout à sa joie de développer son Pacteconfiance avec Voltefeu, de faire – enfin – partie de ce monde auquel elle avait toujours voulu appartenir, elle ne s'était pas penchée sur certaines considérations pratiques, comme celle-ci : elle et Brianna étaient désormais rivales.

Elle s'efforça de faire retomber la tension, palpable :

— Je n'aurais pas gagné à Tiredaile si tu avais concouru.

— Vraiment ? fit Brianna. Je me le demande…

Les deux amies s'observèrent en silence pendant quelques secondes, puis Cara se tourna de nouveau vers Wony.

— Viens, allons te préparer ! Le moment est venu de remporter ta deuxième rosette en or !

L'arène mise à la disposition des novices pour l'entraînement n'était autre qu'une parcelle de prairie délimitée par des cordes tendues entre des poteaux de bois passés à la chaux. Les jeunes dragons et les novices s'échauffaient déjà, exécutant des manœuvres simples : ils montreraient ainsi aux juges qu'ils maîtrisaient leurs fondamentaux.

Wony conduisit Frelon jusqu'à un marchepied placé tout près de l'entrée de l'arène et, avec l'aide de Cara et de Brianna, elle se hissa sur le dos du dragon et prit place sur la selle de cuir aux armatures en bois.

Brianna tapota le flanc de Frelon.

— Que les vents vous soient favorables…

— … et que le soleil brille sur vous, compléta Cara, qui connaissait par cœur le vieil adage brésalien.

Wony tira délicatement sur les rênes des jambes et donna un petit coup de poignet. Aussitôt, Frelon se mit en route pour l'échauffement. Il avait beaucoup grandi en l'espace d'une demi-année et donnait l'im-

53

pression d'avoir enfin compris à quoi pouvaient servir ses ailes, même s'il demeurait pataud.

— Tu crois qu'elle va réussir ? chuchota Brianna à l'oreille de son amie, qui haussa les épaules d'un air incertain.

— Les tests d'obéissance et les parcours sans faute sont deux épreuves totalement différentes. Tout dépendra de la manière dont les juges noteront la tenue en selle, le maniement des aides et l'exécution des ordres. Au moins, dans le sans-faute, c'est plus clair : tout le monde peut voir si tu as franchi ou non un obstacle.

— Oui, il y a moins de risque de favoritisme, convint Brianna. Heureusement ! Sinon, Hortense remporterait tous les concours… !

Cara hocha la tête avec un sourire en coin.

— Allez, viens ! J'aimerais bien savoir à qui Wony va devoir se mesurer.

Les deux amies gagnèrent l'arène de compétition à grands pas. Les premiers concurrents exécutaient déjà les figures imposées : marche, trot, décollage et atterrissage. D'un œil expert, Cara et Brianna les observèrent. Puis elles se mirent à commenter la performance des rivaux de Wony.

— Pas assez de tempo dans ce virage.

— Trop d'épaule, pas assez de jambes.

— Un peu de rythme, que diable !

Elles réservèrent leurs critiques les plus acerbes à un jeune garçon qui représentait Drakelodge et montait un petit dragon-requin. Le malheureux ne maîtrisait absolument pas sa monture, qui restait obstinément immobile au beau milieu de l'arène, sourd aux ordres de son dragonnier, le nez au vent. Le garçon donnait des coups de talon frénétiques et tirait à qui mieux mieux sur les rênes des oreilles, mais rien n'y faisait. Finalement, le dragon se laissa tomber sur le sol, les pattes repliées sur le nez.

Au comble de la frustration, le jeune garçon assena à l'animal un violent coup de fouet. Le dragon se leva en sursaut et partit à fond de train en direction de la tente où étaient installés les juges. Le gamin décolla de la selle et s'agrippa à ses rênes comme il pouvait pour ne pas partir dans le décor. Deux des juges ouvrirent toute grande la bouche avant de plonger sous la table, éparpillant notes, rosettes et trophées.

Seule Madame Hildebrand ne céda pas à la panique. Elle se contenta de croiser les bras et de toiser le dragon, comme pour le mettre au défi de la renverser. Mais l'animal poursuivit sa course effrénée. Juste au moment où il menaçait d'écrabouiller l'Instructrice principale telle une vulgaire pastèque, il inclina les ailes pour effectuer un magnifique décollage, au grand soulagement des juges, qui se relevèrent pour affronter les rires et les vivats de la foule des spectateurs.

Malheureusement, en dépit des efforts déployés par le dragonnier en herbe pour ramener sa monture à terre, le dragon-requin poursuivit sa folle équipée. Il survola le toit en ardoise de Bois Wiverne et effleura la cime des arbres qui entouraient le haras. Petit à petit, les cris du jeune garçon devinrent de moins en moins audibles.

Un véritable tumulte se déclencha parmi la foule et un membre du service d'ordre fut envoyé à la recherche du fuyard et de son dragonnier.

— Eh bien, au moins Wony ne finira pas dernière, commenta Brianna. Pas après ce pitoyable spectacle !

Lorsque la foule eut recouvré son calme, le commentateur lança d'une voix tonitruante :

— Et voici maintenant Frelon, monté par Wony de la Vallée des dragons !

Cara et Brianna applaudirent à tout rompre au moment où Wony ordonna à Frelon de faire son entrée dans l'arène.

Pendant les minutes qui suivirent, les deux amies mimèrent chacune des figures exécutées par Wony, leurs mains et leurs jambes actionnant des rênes imaginaires, encourageant Frelon de la voix, retenant leur souffle à chaque passage délicat.

— C'était un virage très propre, dit Cara.

— Garde la tête droite, fit observer Brianna. Pas trop rapide, le décollage…

Elles n'avaient pas besoin de s'inquiéter. Les ailes de Frelon avaient beau être courtes, deux battements lui

suffirent pour s'élever dans les airs. Immédiatement, il décrivit un huit parfait, puis se mit en devoir d'exécuter les trois séries de figures aériennes imposées. Lorsqu'il se reposa au sol, Cara et Brianna manifestèrent bien haut leur approbation. Avec un dernier salut adressé aux juges, Wony et Frelon sortirent de l'arène.

Cara et Brianna se hâtèrent de rejoindre Wony au paddock.

— Bravo ! s'écria Cara. C'était fantastique, Wony !

— Vraiment ? demanda cette dernière, dubitative. C'était assez bien pour une rosette ?

Cara hocha la tête avec détermination.

— Aucun doute.

Les derniers concurrents exécutèrent à leur tour les diverses figures, puis il y eut une pause, durant laquelle les juges se retirèrent à l'intérieur de leur tente pour délibérer.

Lorsque tous les concurrents furent rappelés dans l'arène pour la présentation des récompenses, Cara et Brianna avaient repris leur place parmi les spectateurs.

Cara contemplait les juges les yeux plissés, avec méfiance.

— Madame Hildebrand sera impartiale, et c'est bon pour Wony, décréta-t-elle. Par contre, j'ai des doutes au sujet de Hoyt de Gantailé. Mais regarde qui est le juge principal : c'est Adair de la Tarasque. Tu sais combien il déteste la Vallée. Or c'est lui qui tient les rosettes…

4

Le Maître des dragons de la Tarasque était vraiment très grand. Vraiment très maigre aussi. Presque squelettique. Ses yeux, bien enfoncés dans leurs orbites, exprimaient la dureté et le mépris. Ils contemplaient la foule en la défiant de contester ses jugements.

— Voici les résultats du concours des novices, annonça-t-il. Après une discussion *très animée* avec mes collègues – il gratifia Madame Hildebrand d'un regard particulièrement noir – j'ai pris ma décision. À la troisième place, et gagnante de la rosette verte : Hilda de Tiredaile.

Quelques applaudissements crépitèrent pour saluer la remise de la rosette à la petite dragonnière.

— À la deuxième place, et gagnante de la rosette bleue…

Adair marqua délibérément une pause, sans doute pour faire monter la tension, tant à l'intérieur de l'arène qu'à l'extérieur, dans les rangs des spectateurs.

— … j'ai nommé… Lélia de Bois Wiverne.

Des cris de joie fusèrent depuis la zone occupée par les supporteurs locaux de la benjamine du haras.

— Wony va gagner la rosette en or ! chuchota Cara, qui n'osait quand même pas trop y croire.

— Peut-être que oui… et peut-être que non, fit Brianna.

— À la première place, et gagnante de la rosette en or pour l'Épreuve d'obéissance niveau débutant, j'ai nommé…

Adair avança d'un pas déterminé vers Wony et Frelon.

— Oui ! Deux rosettes d'or !! s'exclama Cara.

Mais sa joie fut de courte durée. Au dernier moment, Adair s'écarta de Wony et alla remettre la rosette à une jeune fille qui portait la tunique écarlate de son propre haras.

— ... Violette, de la Tarasque !

Malgré elle, Wony laissa échapper un gémissement et ferma les yeux pour retenir les larmes qui venaient de les envahir. Elle entraîna aussitôt Frelon vers la sortie de l'arène.

Cara et Brianna la retrouvèrent à la porte du paddock.

— C'est tellement injuste ! protesta Cara. C'est à toi qu'aurait dû revenir la rosette !

— C'est truqué ! pesta Brianna, furieuse. Comment la Tarasque peut-elle s'en tirer sans que personne proteste ? De toute évidence, les juges n'y connaissent rien !

— J'espèèère que cette remââârque s'adresse aux autres juges, mais pas à moi...

En reconnaissant la voix de Madame Hildebrand, Wony et Cara se figèrent sur place, mais Brianna ne se démonta pas.

— Wony méritait une rosette, répliqua-t-elle à l'Instructrice principale avec aplomb. Vous le savez aussi bien que moi.

Madame Hildebrand choisit de ne pas prêter attention à l'accès d'humeur de son élève et se tourna vers
Wony.

— Je sais que mon avis ne compte guère, mais pour
ma paaart, je t'avais accordé une rosette. Malheureusement, Maître Adair a baissé ta note. Et Maître Hoyt a
estimé que tu avais l'air un peu fatiguée. Mais après ce
long voyaaage, il fallait peut-être s'y attendre.

Wony soupira.

— J'aurai peut-être plus de chance la prochaine
fois…

L'Instructrice principale secoua la tête.

— Non, je ne pense pas.

Wony afficha une mine défaite.

— Mais, je pensais que vous aviez dit que…

— Si je peux poursuivre sans être interrompue…
saaache, jeune fille, qu'il n'y aura paaas de prochaine
fois, pour la bonne raison que je te juge prête pour
passer au niveau supérieur. Donc, tu n'auras plus à
passer d'épreuves d'obéissance. Au prochain concours,
tu disputeraaas le sans-faute niveau débutant ! Je te
donne rendez-vous dans le Cercle des débutants la
semaine prochaine, pour une formation poussée au
saut d'obstaaacles.

Puis Madame Hildebrand se tourna vers Cara.

— En parlant de sans-faute, tu ne ferais pas mieux
de te préparer ? C'est ton tour dans cinq minutes. Ah,
petit conseil d'amie : attention à la double barre horizontale. Elle m'a l'air difficile à négocier. Soigne ton

approche, qui ne devra pas être trop rapide, et fais confiance à ton dragon pour la sortie. Bonne chance !

Les yeux écarquillés, bouche bée, Wony regarda Madame Hildebrand s'éloigner, telle une déesse majestueuse.

— Le sans-faute, le sans-faute… répéta-t-elle plusieurs fois, comme en proie à une transe extatique.

La colère de Cara était retombée d'un coup.

— Wony, tu as entendu ça ? Tu vas grimper d'un cran !

— Quelle journée ! finit par s'exclamer Wony, avant de se jeter au cou de son dragon, qui poussa un cri de surprise. Oh, Frelon, je t'aime tellement !

Et d'étreindre de toutes ses forces le cou de l'animal.

— Je vais aller chercher à manger pour Frelon, et puis j'irai à la tente des gâteaux. Pour moi ! Vous venez ?

— J'aimerais bien, répondit Cara, mais il faut que j'aille échauffer Voltefeu. J'ai bien l'intention de remporter une deuxième rosette comme la tienne ! lança-t-elle à Wony.

Toutes deux s'éloignèrent en riant et en pérorant, avec à leur suite Frelon. Brianna resta un instant sur place, à contempler la rosette qu'elle tenait, comme si elle en avait peur.

Puis elle inspira fortement et se mit en route à son tour.

Cara laissa à Wony et à Brianna le soin d'ôter la sellerie de Frelon et se hâta d'aller retrouver Voltefeu. En la voyant arriver, le dragon battit des ailes et poussa de petits grognements de bonheur.

— Un peu de calme, grand dadais ! dit Cara en grattant les flancs de l'animal. Je t'avais bien dit que je ne serais pas longue.

Le dragon enroula son long cou autour des épaules de Cara et vint nicher sa tête au creux de son dos.

— Allons, allons, calme-toi !

Elle s'empara du licol de Voltefeu, ramena sa tête en arrière et le regarda droit dans les yeux.

— N'oublie pas que nous partons en quête d'une rosette en or... pour la Vallée des dragons et pour maman.

Voltefeu la rassura d'un gazouillis docile, et Cara posa brièvement le front sur la crête d'or qui ornait son arcade sourcilière. Puis, d'une voix calme, elle lui tint ce langage :

— Tu es le meilleur dragon de Brésal et je ne te mérite pas.

Voltefeu secoua la tête et déploya ses ailes, avant d'émettre le son d'une corne de brume. Cara pouffa de rire.

— D'accord, comme tu veux ! Montrons-leur ce dont nous sommes capables, ensemble !

Une cloche retentit, qui annonçait le début de l'épreuve du sans-faute, niveau intermédiaire. Cara entraîna Voltefeu vers la prairie herbeuse qui menait au paddock réservé aux concurrents et fut bientôt rejointe par Brianna.

— Tu as eu le temps de jeter un coup d'œil sur les obstacles ? demanda cette dernière.

Cara leva les yeux vers le mât le plus proche et ses yeux s'ouvrirent tout grands.

— Regarde, c'est Wilf ! Qu'est-ce qu'il fabrique perché là-haut ?

À plusieurs mètres au-dessus du sol, debout sur la plus basse des deux barres transversales et agrippé au mât comme si sa vie en dépendait – ce qui était d'ailleurs le cas – Wilf se posait la même question. Il avait obéi aux instructions de Madame Hildebrand et s'était présenté au personnel de l'arène : « Bonjour, je suis Wilf. On m'a envoyé ici pour vous aider. » Une fois que les arrimeurs avaient eu fini de rire – au grand dam de Wilf, qui s'était demandé ce qu'il avait bien pu dire de si drôle – le plus grand d'entre eux s'était avancé vers le jeune garçon.

— Excuse-nous, mon gars, un rien nous amuse… Ne le prends pas personnellement, surtout !

Il lui avait alors tendu une main gantée de cuir et Wilf avait tendu la sienne en retour. Il avait eu l'impression qu'on la lui enserrait dans un étau matelassé.

— Je suis Fergus de Bois Wiverne, chef des arrimeurs.

Le gaillard avait contemplé Wilf de haut en bas et de bas en haut.

— Je ne voudrais pas te contrarier, bonhomme,

mais est-ce que tu as déjà arrimé des barres sur des mâts dans une arène de compétition ?

Wilf avait dû admettre qu'il ne s'était jamais livré à cette activité, que ce soit dans une arène ou ailleurs. Dans l'équipe des arrimeurs, on secoua la tête et on échangea des clins d'œil complices.

— Eh bien, j'imagine qu'il y a un début à tout, bonhomme. Alors, pourquoi ne commencerais-tu pas par là-bas ?

Il avait pointé un doigt vers six mâts gigantesques sur lesquels étaient installés les obstacles du sans-faute, très élevés. Le visage du jeune garçon arborait une pâleur encore plus marquée qu'à l'accoutumée.

— Il faut que j'aille… tout là-haut ?

— Mais oui, avait répondu Fergus. Tu iras te placer sur la barre transversale, car tu as tout d'un écureuil.

Une nouvelle salve de rires s'était déclenchée.

— D'un écureuil ?

— C'est bien ça, Vilf. D'un écureuil.

— « Wilf », avait corrigé Wilf. Je m'appelle « Wilf ».

Rires étouffés.

— Je te demande pardon… *Oui*lf. Laisse-moi t'expliquer : quand les dragons heurtent ou effleurent les poteaux ou les barres et qu'ils tombent par terre, il faut que quelqu'un les remette en place. C'est nous qui nous en chargeons. Mais nous avons chacun une tâche différente, vois-tu ? Il y a les ramasseurs… ce sont eux.

Fergus avait désigné un groupe de jeunes garçons d'écurie de Bois Wiverne.

68

— Nous les appelons des rats d'arène parce qu'ils courent dans tous les sens comme des… dératés !

Nouveaux rires, de moins en moins étouffés.

— Ils ramassent les barres aussi vite qu'ils le peuvent.

Il s'était tourné vers les « rats d'arène ».

— Surtout quand c'est mam'zelle Hortense qui vole, hein, les gars ? Je n'ai jamais connu quelqu'un qui heurtait autant de barres. C'est comme les pommes qui se détachent des arbres par jour de grand vent. Faut se garer, sinon gare aux bosses !

En dépit de sa nervosité, même Wilf était parvenu à sourire au récit des prouesses d'Hortense. Fergus avait poursuivi ses explications.

— Et puis il y a les tracteurs, pour ainsi dire. Ce sont ceux qui ont les gros bras, là-bas.

Wilf les avait contemplés à bonne distance : leurs bras musclés étaient de la taille d'une cuisse de dragon.

— Ils sont chargés des cordes qui maintiennent les obstacles en place. Il existe différents types de cordes…

— J'aurais dû m'en douter, avait gémi Wilf, pris de vertige.

— Il y a celles dont on se sert pour hisser les obstacles et celles qu'on utilise pour les faire redescendre. Il en existe aussi pour les décaler vers l'avant et d'autres pour les ramener en arrière, mais, bon, on ne va pas s'occuper de celles-là pour l'instant.

— Non, pas pour l'instant, avait répondu Wilf d'une voix faible.

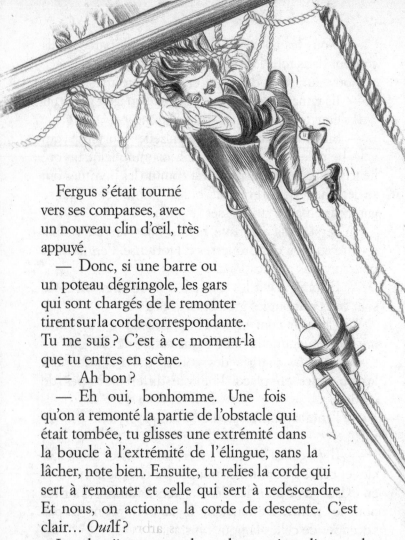

Fergus s'était tourné vers ses comparses, avec un nouveau clin d'œil, très appuyé.

— Donc, si une barre ou un poteau dégringole, les gars qui sont chargés de le remonter tirent sur la corde correspondante. Tu me suis ? C'est à ce moment-là que tu entres en scène.

— Ah bon ?

— Eh oui, bonhomme. Une fois qu'on a remonté la partie de l'obstacle qui était tombée, tu glisses une extrémité dans la boucle à l'extrémité de l'élingue, sans la lâcher, note bien. Ensuite, tu relies la corde qui sert à remonter et celle qui sert à redescendre. Et nous, on actionne la corde de descente. C'est clair… *Oui*lf ?

Les dernières traces de couleur avaient disparu des joues de Wilf.

— Très clair… avait-il murmuré en fermant les yeux.

— Enfin, on glisse l'autre extrémité de la barre dans la boucle à l'autre extrémité de l'élingue et on la remonte. Une fois que les deux cordes sont en haut, tu détaches la barre de la corde de montée et elle se remet en position horizontale, prête à dégringoler de nouveau lorsque le prochain maladroit viendra la heurter. Des questions ?

— Euh…

— Tu vois ? C'est facile à comprendre ! Alors, à toi de jouer ! Montre-nous ce que tu sais faire ! Grimpe !

Et c'est ainsi que le jeune garçon avait été contraint de grimper à l'échelle de corde le long du mât auquel étaient fixées deux barres asymétriques. Tout en bas, il apercevait Cara et Brianna, qui gesticulaient fébrilement. Il résista à la tentation de les saluer en retour, préférant se concentrer à deux tâches plus urgentes : ne pas lâcher prise et rester calme.

Au sol, confortablement campée sur ses deux jambes, Cara fit la moue :

— Quel ruffian ! Il pourrait au moins nous faire un signe de la main… Enfin, s'il préfère grimper à une corde, grand bien lui fasse !

— C'est bien les garçons, renchérit Brianna. Toujours en train d'escalader quelque chose. Quand ce ne sont pas des arbres, ce sont des mâts.

Elle contempla les barres suspendues entre le mât

71

auquel Wilf était accroché et celui qui se trouvait un peu plus loin.

— Au sujet de ces obstacles…

— … Je les ai examinés tout à l'heure, interrompit Cara. Le seul vrai problème est celui que Madame Hildebrand a mentionné : le double horizontal. Il faut vraiment piquer franchement entre le premier et le second obstacle. Mais je pense que Voltefeu y arrivera.

— J'en suis sûre.

Soudain, la voix de stentor battit le rappel des candidats à l'épreuve suivante.

— La première concurrente de l'épreuve du sansfaute niveau intermédiaire du Concours de Bois Wiverne est la fille du Seigneur de Havremer, Hortense, qui représente la Tarasque et monte Nuage d'argent.

Les spectateurs assis à la tribune installée pour l'occasion applaudirent poliment. Hortense, juchée sur une dragonne à barbe, alla se poser au centre de l'arène et salua les juges.

— Ils ont raison, persifla Brianna : mieux vaut commencer par les mauvais et garder les meilleurs pour la fin !

Cara lui sourit. Le tirage en avait décidé ainsi, elle passerait en dernier, ce qui avait du bon et du moins bon. D'un côté, elle saurait comment les autres concurrents s'en étaient tirés. D'un autre côté, ce serait une source de tension supplémentaire : si l'un d'entre eux avait effectué un sans-faute, la moindre erreur de Cara lui coûterait la rosette en or. Elle haussa les épaules.

— On ne sait jamais : Hortense a peut-être fait des progrès remarquables ces dernières semaines.

Brianna haussa un sourcil, dubitative.

— Si tu veux mon avis, elle sera bonne dragonnière quand les dragons sauront nager…

5

La cloche retentit. Le moment était venu pour Hortense d'entamer son parcours. Tout là-haut, Wilf croisa les doigts. Mais aussitôt, il prit conscience qu'il avait lâché prise et agrippa de nouveau la barre transversale, avant de laisser échapper un murmure plaintif : « S'il te plaît, Hortense, ne heurte pas mes barres. Tu peux renverser tous les autres obstacles si tu veux, mais pas le mien... Oh non ! »

Autant prier pour qu'il neige en plein cœur des mois d'été. En effet, Hortense, après avoir abordé un double vertical trop rapidement à la sortie d'un virage, accrocha l'une des barres, qui fila tout droit vers le sol. Dix points de pénalité. Wilf regarda au-dessous de lui et aperçut les « rats d'arène » qui se précipitaient pour récupérer l'obstacle (tout en surveillant du

coin de l'œil les évolutions
périlleuses d'Hortense).

Brianna fit claquer sa
langue.

— Nous voilà débarrassées d'elle…

— Oui, la connaissant, elle va craquer, renchérit
Cara.

Depuis son poste d'observation, Wilf parvint au
même diagnostic. Et comme pour leur donner raison,
Hortense accrocha un deuxième obstacle, précipitant
une autre barre vers le sol. Encore trois autres obstacles
et elle arriverait à hauteur de Wilf. Cette seule pensée
avait de quoi déclencher la terreur. «S'il te plaît, Hor-

tense, trompe-toi d'itinéraire, supplia-t-il en son for intérieur. Tu seras disqualifiée et tu n'auras plus besoin de passer celui-ci. » Un sourire se dessina soudain sur ses lèvres. « Ou bien écrase-toi au sol… Oui, c'est ça, écrase-toi ! »

Mais la dragonnière resta sourde à ses invocations silencieuses et, malgré la chute de deux des trois obstacles suivants, Hortense poursuivit sa course folle en direction du mât auquel Wilf s'accrochait de toutes ses forces en tremblant de la tête aux pieds. Il ne put que contempler, impuissant, le dragon qui fonçait sur lui, les naseaux fumants.

Nuage d'argent se rapprochait de plus en plus, remuant l'air de ses battements d'ailes, provoquant force turbulences alentour. «Oh non...» gémit Wilf en voyant Hortense tenter d'ajuster la trajectoire du dragon.

Un fracas semblable à un coup de tonnerre se fit alors entendre et un rugissement fendit l'air. Instinctivement, Wilf se recroquevilla sur lui-même, son corps se raidit et il ferma les yeux. Mais l'instant d'après, un silence de plomb s'abattit sur l'arène. Wilf entrouvrit un œil. Hortense et Nuage d'argent avaient disparu. Osant à peine regarder, Wilf baissa les yeux en direction des barres : elles vibraient, mais elles étaient restées en place !

— Je n'y crois pas ! C'est un miracle...! s'exclamat-il.

Il avait parlé trop vite. Les vibrations s'accentuèrent et les barres se mirent à aller et venir dangereusement, menaçant de glisser hors de leurs supports. Hortense avait mal calculé l'angle d'approche et le dragon avait accroché l'une des barres de la pointe de sa queue.

Comme au ralenti, la barre du haut commença à

tanguer, glissant peu à peu hors de son logement. La foule, qui observait la scène bouche bée, retint son souffle. Quant à Wilf, il ferma de nouveau les yeux. «Noooonnnn…!»

Le mal était fait. La barre supérieure vint cogner celle du dessous et toutes deux partirent vers le sol en virevoltant, cependant que les «rats d'arène» détalaient à toutes jambes.

Deux obstacles plus tard, le calvaire d'Hortense et celui de Wilf prirent fin. La fille du Seigneur de Havremer avait fait chuter six obstacles et récolté soixante points de pénalité.

— Allez, secoue-toi!

Wilf leva les yeux. L'autre «écureuil» avait déjà parcouru la moitié de la traverse la plus haute, en équilibre sur la poutre tel un acrobate, aussi à l'aise que s'il se trouvait sur le muret d'un jardin. Wilf secoua la tête, effaré.

— Je n'y arriverai pas!

— Tu peux poser les pieds sur cette corde, là, devant ton nez, si t'en as b'zoin, lui lança l'écureuil, avec un sourire narquois. Maintenant, attrape la corde de descente… celle-là, là. Passe les bras par-dessus la poutre sur laquelle je me trouve, place tes petits pieds sur la corde… tu t'habitueras vite!

Wilf en doutait sérieusement, mais il se hissa d'un bon mètre, décrocha la corde désignée par l'autre «écureuil», la plaça entre ses dents, puis chercha de nouveau du pied droit le soutien rassurant de la corde d'appui et entama un déplacement latéral, la poitrine collée contre la traverse tel un naufragé s'agrippant à un espar.

Guidé par les cris mêlés de jurons que proférait Fergus, Wilf parvint à l'autre extrémité de la traverse, repéra la corde de montée et attacha la corde de descente qui se trouvait entre ses dents. Depuis le sol, les « rats d'arène » se mirent alors à tirer de toutes leurs forces et la corde descendit, faisant grincer la poulie de bois sur laquelle elle reposait. Puis ils replacèrent l'extrémité de la barre dans son logement et – en synchronisation parfaite avec les deux « écureuils » – la remontèrent jusqu'à ce qu'elle se trouve juste au-dessous de la traverse, à l'endroit où se trouvait Wilf.

Obéissant aux ordres de Fergus, le jeune garçon tendit la main vers la corde de descente, pour la détacher. La tête lui tournait, mais il n'avait d'autre choix que d'ignorer la sensation de vertige. Il replaça la corde entre ses dents et effectua en sens inverse une nouvelle traversée terrifiante au-dessus du vide, jusqu'à son poste d'observation à côté du mât, où il retrouverait une sécurité toute relative.

Il venait à peine de reprendre sa place lorsque le concurrent suivant accrocha la barre, qui fut de nouveau précipitée vers le sol. Wilf ferma les yeux.

Les concurrents se succédèrent et Wilf fut appelé à la rescousse à plusieurs reprises. Comme l'avait fort bien prévu Madame Hildebrand, c'est le double horizontal, auquel il était assigné, qui posait le plus de problèmes aux dragonniers. Aucun d'entre eux ne parvint à le franchir sans le heurter…

Entre-temps, Wony avait fini de bouchonner Frelon et avait rejoint Brianna et Cara, qui observaient le pitoyable spectacle avec espoir.

— Personne n'a encore réussi de sans-faute ? s'étonna Wony. Il ne reste plus beaucoup de concurrents, maintenant, tu devrais remporter la rosette d'or, Cara.

— Il reste encore Ernestine, mit en garde Brianna.

— Comme tu dis, répondit Cara. Et c'est son tour…

Les deux amies avaient du respect pour Ernestine, bien qu'elle coure sous les couleurs de la Tarasque et entretienne des liens d'amitié avec Hortense. Son Pacteconfiance avec Feu d'orage, un dragon ombré aux écailles foncées, était exceptionnel. Elle possédait de très bonnes compétences techniques et ne manquait pas de courage. Il suffisait pour s'en convaincre de compter les rosettes d'or qu'elle avait remportées en compétition au cours des dernières saisons, y compris au Championnat de l'île.

Comme pour lui donner raison, Ernestine fit un parcours impeccable. Elle franchit les premiers obstacles avec une aisance qui fit passer tous ceux qui l'avaient précédée pour des amateurs laborieux. Elle appartenait à la classe supérieure des dragonniers. Aussi, lorsqu'elle arriva en vue du périlleux double horizontal,

Wilf arborait un large sourire, sûr qu'il était de se voir épargner un voyage de plus sur la traverse.

Il avait tort.

Au moment où Ernestine engageait son dragon entre les deux barres parallèles, l'aile de Feu d'orage s'accrocha dans un cordage, ce qui provoqua la chute de la barre inférieure. La foule laissa échapper un «Ahhh !!!» de déception. Quant à Wilf, il marmonna :

— Ahhh non !!! J'en ai assez. Ils le font exprès !

Lorsque Ernestine passa la ligne d'arrivée, lestée de dix points de pénalité, Wony se mit à exécuter des bonds de cabri.

— Il ne reste plus que Cara et personne n'a réussi de sans-faute !

Brianna se tourna vers son amie en hochant la tête.

— À toi de jouer : si tu réalises un sans-faute, c'est gagné.

Cara ne répondit rien. Son visage reflétait sa détermination. Elle prêta à peine attention à l'annonceur et aux vivats de la foule, qui l'encourageait bruyamment.

— Allons-y, Voltefeu ! chuchota-t-elle. L'or est pour nous… si nous y mettons tout notre cœur !

Elle tira sur les rênes et le dragon s'élança en poussant un petit cri d'excitation. L'instant d'après, ils avaient déjà franchi le premier cerceau : à l'invite de sa maîtresse, Voltefeu avait docilement replié les ailes contre son grand corps, avant de les déployer de nouveau, majestueusement.

En guidant sa monture aux quatre coins de l'arène, Cara sentait monter en elle une joie farouche. Elle communiquait d'instinct avec l'animal : une pression sur les rênes des oreilles, un léger coup d'étrier sur le flanc suffisaient pour que Voltefeu sache exactement où aller. Leur confiance mutuelle était sans faille, dragonnière et monture ne faisaient qu'un.

Cara se penchait d'un côté et de l'autre, sa silhouette s'incurvait sur la selle en réponse aux mouvements de Voltefeu. Ils ne craignaient ni les barres ni les poteaux. Des obstacles, ça ? Non, tout simplement des guides qui les orientaient au long de leur périple. Il était inconcevable que Voltefeu en heurte un.

Juché sur son mât, Wilf en avait presque oublié d'avoir peur, captivé par la grâce de Cara et de sa monture, qui passaient à travers les obstacles comme du fil à travers le chas d'une aiguille. En observant ce spectacle depuis cette position élevée, il percevait pour la première fois, obscurément, la flamme qui animait Cara et Brianna, qui les poussait à endurer de longues heures d'entraînement par tous les temps, mais aussi la frustration que devait éprouver Brianna, clouée au sol.

Justement, Brianna suivait les évolutions de Cara depuis le paddock, en proie à un tourbillon d'émotions. Elle aurait dû participer à la compétition, elle aussi, et défendre les couleurs de la Vallée des dragons. Si seulement Monty avait été en forme ! Pauvre Monty, elle lui manquait tellement ! Elle voulait que Cara effectue un sans-faute, bien sûr – Cara et Voltefeu formaient une si belle combinaison !

Existait-il une telle connivence entre elle et Monty ? Pourraient-elles jamais exécuter un parcours d'obstacles avec une telle perfection ? Brianna sentit ses yeux s'embuer de larmes : elle les essuya d'un revers de main agacé.

Cara et Voltefeu n'avaient encore commis aucune erreur. Ils se dirigeaient vers le périlleux double horizontal. Mais au lieu d'accélérer comme tous les autres concurrents, Cara fit ralentir Voltefeu jusqu'à faire quasiment du surplace, afin d'être sûre que son angle d'approche serait le bon.

Les spectateurs retenaient leur souffle – les dragonniers de niveau intermédiaire capables de diriger leur dragon avec une telle maîtrise étaient rares. Très peu possédaient la confiance nécessaire, encore moins le courage. À l'intérieur de la tente des juges, Huw hocha la tête et murmura : « Bien, ma fille. » Madame Hildebrand haussa un sourcil et griffonna quelque chose sur son programme.

Cara franchit la première partie du double horizontal en planant, comme en apesanteur, puis elle serra les genoux, tira sur les rênes des jambes et fit partir Voltefeu en piqué vers la deuxième partie de l'obstacle redoutable. Sous les yeux éberlués de Wilf, un éclair vert et or se faufila entre les barres, manquant les effleurer d'un cheveu.

— C'est gagné ! s'exclama le jeune garçon, en mou-

linant des bras, ce qui lui valut de perdre l'équilibre et
de manquer tomber à la renverse.

Il n'eut que le temps de se raccrocher au mât avant
une chute fatale, le cœur battant à s'en défoncer les
côtes.

Quant à Cara, elle se dirigeait vers les deux derniers
obstacles.

— Allons-y, mon bonhomme, murmura-t-elle.
Reste bien compact, regarde droit devant et l'or est
pour nous.

Elle fit plonger Voltefeu avant de le redresser et de le
lancer en zigzag à l'assaut de branches de saule piquées
dans le sol.

Le dragon s'exécuta avec son agilité coutumière, réalisant un slalom parfait. Il ne lui restait plus que quelques battements d'aile avant le dernier obstacle horizontal.

— Maintenant, Voltefeu, à toi de jouer !

Et de relâcher les rênes pour laisser à son dragon le choix de déterminer le positionnement et l'allure qui convenaient pour le franchir. Voltefeu comprit aussitôt que Cara lui faisait toute confiance pour les conduire à la victoire. Avec un petit cri de triomphe, il s'élança avec force et traversa l'obstacle sans renverser une seule barre.

— Elle a réussi ! hurla Wony à tue-tête. Elle a réussi !

Brianna ne put retenir un sourire de contentement, même si sa lèvre inférieure tremblait d'émotion. La foule se déchaîna, laissant crépiter ses applaudissements. C'était un public de spécialistes, qui savaient reconnaître un dragonnier et une monture hors pair.

Quel exploit ! Cara était aux anges. Elle fit un tour d'honneur au-dessus de l'arène en saluant la foule d'une main et en administrant de l'autre force claques sur le cou rugueux de Voltefeu. Wilf lui-même prit son courage à deux mains et dressa un pouce admiratif vers le ciel au passage des vainqueurs.

Les juges n'eurent nul besoin de se concerter. Quelques minutes plus tard, Cara montait sur le podium pour y recevoir sa rosette et son trophée.

— Quelle journée ! plastronnait Wony en sautillant

d'un pied sur l'autre. Deux rosettes d'or pour la Vallée des dragons !

Brianna souriait d'un air contrit.

— Seules une ou deux personnes ont réussi à gagner une rosette d'or à chacun des concours d'une même saison, continua Wony, et je parie que Cara peut y arriver. Elle a déjà battu tous les autres à deux reprises !

— Non, pas tout le monde, intervint Brianna calmement. Pas encore…

Wony s'interrompit net, les bras ballants.

— Oh… désolée… Je ne voulais pas… Je voulais juste…

— Ce n'est rien, ne t'inquiète pas.

Brianna ne quittait pas des yeux Cara, qui était descendue du podium et recevait les félicitations de spectateurs et d'autres concurrents, qui faisaient cercle autour d'elle.

Finalement, Brianna décida de regarder dans une autre direction.

— Wilf est en train de redescendre. Si on lui demandait comment s'est passé son après-midi… ?

Elles allèrent retrouver Wilf, qui était lui-même entouré par toute l'équipe de Fergus. Ce dernier lui assenait des bourrades dans le dos de toutes ses forces.

— Qu'est-ce que je t'avais dit, bonhomme ? Qu'est-ce que je t'avais dit ? Tu es un écureuil-né !

— Oh… mais… non, non, non… balbutia Wilf.

D'un geste large, Fergus imposa le silence dans les rangs des arrimeurs, puis s'écria :

— Oh que si ! D'ailleurs, moi et mes gars, on a décidé que tu allais être promu, tellement tu es adroit.

— Promu ? ! Moi ? !

Wilf n'en croyait pas ses oreilles.

— Oui, tu es en pleine ascension, mon garçon, répondit Fergus en pointant un doigt vers le ciel. Au prochain concours, tu iras te placer sur la traverse qui se trouve tout en haut, la plus élevée de toutes !

Les deux dragonnières, qui venaient d'arriver sur place, n'eurent que le temps de rattraper Wilf avant qu'il ne s'écrase au sol de toute sa hauteur.

Entendant cette nouvelle, il s'était évanoui.

6

Quelques semaines plus tard, Cara et Brianna étaient assises à la grande table en chêne, dans la cuisine de la maison de maître de la Vallée des dragons.

Gerda, la gouvernante tout en rondeurs, empilait devant Wilf les plats et les casseroles qui avaient contenu la délicieuse tourte à la viande servie au dîner. Les coudes plongés dans un évier rempli de bulles de savon, le malheureux garçon d'écurie s'escrimait à récurer les assiettes, sous l'œil attentif de deux wivernes perchées sur le manteau de la cheminée.

— Pourquoi est-ce que je suis de corvée de plonge pendant que vous restez assises là, à bavasser et à vous reposer ? gémit-il en se retournant vers les deux filles.

— Parce que nous, nous n'avons pas négligé de dire

à Gerda combien son pudding à la mélasse était délicieux, répondit Cara.

— Qu'est-ce que tu vas inventer, ma fille? Comment oses-tu m'accuser ainsi? intervint Gerda. Je ne
suis pas femme à me laisser influencer parrr un oubli
aussi insignifiant…

Et elle posa avec fracas une énorme poêle sur la paillasse de l'évier, histoire de faire sursauter Wilf. Puis elle se pencha par-dessus l'épaule du jeune garçon en riboulant des yeux.

— Et tu as intérrrêt à m'enlever toute cette grr-raisse !

— Mais… mais c'était délicieux ! protesta Wilf. Votre cuisine est toujours délicieuse. Vous êtes la meilleure cuisinière de tout l'archipel de Brésal, vous le savez bien…

— Oui, mais j'aime bien aussi me l'entendrrre dirrre, répliqua Gerda. Nous avons tous besoin d'un petit compliment de temps à autrrre. Comme ça, nous n'avons pas le sentiment qu'on nous tient pourrr acquis. Et maintenant, arrrrête de te lamenter et mets un peu plus d'énérrrgie à grrratter les plats !

Elle avait roulé tous ces « r » avec délices.

— Sinon, je te trrrouverrrai d'autres corrrvées. Les pièces du haut ont besoin d'un bon coup de chiffon à poussièrrre et de balai…

Elle adressa un clin d'œil aux deux filles, cependant que Wilf, terrifié, poussait un geignement à fendre l'âme.

C'est alors que la porte de la cuisine s'ouvrit toute grande et que Madame Hildebrand fit son apparition, telle une grande actrice de théâtre.

— Ah, Briannââââ et Carââââ, je me doutais que je vous trouverais lâââ. Bonjour, Gerdââââ ! Comment va la santé ?

— On ne peut mieux, merci madame. Vous êtes un peu en rrretard pour le déjeuner, malheureusement. Entre Galen, ses gardes et ces enfants affamés, il ne reste plus une miette.

Mais Madame Hildebrand secoua la tête avec autorité.

— Oh, je n'ai pââââs le temps de manger. Trop de travââââil !

L'instructrice principale concentra de nouveau son attention sur Brianna et Cara.

— Vous avez terminé le nettoyage et le pansage ?

— Vous n'avez pas besoin de nous le demander, répondit Brianna d'un ton maussade. Il suffit de nous renifler ! Il fait tellement chaud que nous transpirons à grosses gouttes.

— Quand on ne transpire pas, c'est qu'on n'a pas assez produit d'huile de coude, rétorqua Madame Hildebrand.

— Moi, j'en produis au litre, entendit-on maugréer à mi-voix du côté de l'évier.

Ne prêtant aucune attention à Wilf, l'Instructrice principale poursuivit :

— J'aurai besoin de vous cet après-midi, les filles. Un groupe de débutants arrive du village. Or, le Maître des dragons s'est rendu à La Pointe Sud pour se réapprovisionner à la Mangeoire de Maughan et il me faut autant de dragonniers que possible pour surveiller les jeunes.

Cara et Brianna poussèrent un grand soupir. Aider

les débutants, c'était la tuile! En général, ces enfants n'écoutaient rien, faisaient preuve de mauvaise volonté, tombaient de dragon, pleurnichaient et, en prime, il fallait les moucher!

L'avantage, c'est que les leçons rapportaient de l'argent au haras et que certains des parents les plus riches se laissaient convaincre d'acheter un des dragons élevés dans la Vallée, ce qui mettait Huw de bonne humeur l'espace d'un soir.

Malgré cette perspective, Cara était résolue à échapper à la corvée et à passer un peu de temps avec Voltefeu.

— Désolée, madame Hildebrand. Je le regrette sincèrement, mentit-elle, car nous aimerions beaucoup vous aider. Mais avant de partir, papa nous a demandé de vérifier les enclos dans la Couveuse et de nous assurer que chacun des dragonneaux se portait bien.

Cette information ne tomba pas dans l'oreille d'un sourd.

— Si tu veux, Cara, je peux m'en occuper pour toi! suggéra Wilf, tout requinqué.

Cara et Brianna lui lancèrent un regard noir. Quant à Madame Hildebrand, elle haussa les sourcils avec surprise.

— C'est très gentil de ta pâââart, Wilf. Tu es un bon garçon.

— Merci, répondit ce dernier avec aplomb. Cela fait plaisir de se l'entendre dire de temps à autre. Je n'ai

93

pas l'impression qu'on me prend pour acquis, comme ça…

Avant que Gerda n'ait le temps de lui lancer un torchon à vaisselle à la figure, la cloche d'alerte retentit à l'extérieur. Aussitôt, Cara et Brianna bondirent de leur chaise, emboîtant le pas à Madame Hildebrand.

Une fois dans la cour, elles levèrent les yeux vers la tour de garde, au sommet de laquelle l'homme de faction agitait le battant de la cloche de toutes ses forces.

En l'espace de quelques secondes, l'endroit se transforma en une véritable ruche.

Comme tous les haras de Brésal, la Vallée des dragons devait venir en aide aux fermes alentour qui lui versaient une dîme pour assurer leur sécurité contre les bêtes sauvages qui pullulaient sur les îles de l'archipel.

Des chiens de feu, des hurleurs et même des pardes, encore plus terrifiants, hantaient les collines et la lande, et il arrivait parfois que des dragons sauvages attaquent des fermes isolées. Lorsque cela se produisait, on allumait des fanaux et la patrouille aérienne s'envolait séance tenante.

Hurlant à tue-tête pour se faire entendre au milieu du tumulte, Galen, le chef de la patrouille et des chasseurs, ordonna à ses hommes de se mettre en selle.

— Où est mon dragon ? rugit-il. Où est Voldenuit ?

Les garçons d'écurie se mirent en quatre pour apaiser le colérique chef de patrouille. D'autres dragons, parmi lesquels Voltefeu, avaient passé la tête

au-dessus des portes de fer de leur box, à demi
ouvertes, pour ne pas perdre une miette de la
bousculade. Certains des plus jeunes laissaient
échapper quelques flammèches d'excitation.

— Que se passe-t-il ? demanda Cara à Tord,
l'un des lieutenants de Galen.

— Un enfant a disparu, répondit Tord
d'un ton vif. La fille du fermier des collines
de l'Arête. Sa wiverne s'était enfuie et elle est
partie à sa recherche.

Galen fit le compte de ses hommes et secoua la tête.

— Nous ne sommes que cinq. Imar et son équipe sont encore en train de chasser sur la Sauvage. Quant à Mellan, il est parti porter un message à la Tarasque. Nous ne sommes pas en nombre suffisant pour mener des recherches, constata-t-il en fronçant les sourcils. Il va falloir nous séparer, ouvrir tout grands les yeux et couvrir le maximum de terrain possible.

Les autres dragonniers hochèrent gravement la tête. Les collines de l'Arête se trouvaient sur le flanc nord du Mont Tête-de-nuage. Il pouvait arriver n'importe quoi à un enfant perdu dans cet endroit désolé, loin de tout.

— Je pourrais vous accompagner, fit une voix assurée.

Galen se retourna pour découvrir… Brianna, bien campée sur ses jambes, les mains sur les hanches.

— Monte-en-l'air est remise de sa calaminite. Je suis tout à fait capable de voler à vos côtés. Je connais bien cette zone. Vous auriez bien besoin d'une paire d'yeux supplémentaire…

À la grande surprise de la fillette, Galen se gratta le menton et laissa échapper un « hummmm… » encourageant.

Cara observait la scène, la bouche sèche. Elle savait combien Brianna souhaitait faire partie de la patrouille. Galen la faisait patienter depuis des mois. Elle n'était pas prête, disait-il, elle devait d'abord gagner le Championnat junior. Pour sa part, Brianna était persuadée qu'il ne voulait pas d'elle parce que c'était une fille, mais elle n'avait jamais osé le lui dire en face.

— Brianna est une dragonnière plus que compétente, intervint Madame Hildebrand, qui venait de faire son apparition derrière Galen. Je suis certaine qu'elle ne te décevra pas.

Les yeux de Brianna se mirent à briller et son cœur à tambouriner dans sa poitrine. Mais une moue désapprobatrice se dessina sur le visage du revêche Galen. Il n'en finissait plus de gratter son menton en galoche mal rasé.

— Bon, d'accord, mais tu voleras à mes côtés et tu ne t'éloigneras pas.

Brianna poussa un cri strident.

— Merci, Galen ! Merci ! Tu peux compter sur moi !

— Eh bien, qu'est-ce que tu attends ? maugréa Galen. Va seller ta monture ! Il n'y a pas une minute à perdre.

Brianna partit telle une flèche en direction du box de Monty, suivie de près par Cara.

— Je vais t'aider, proposa-t-elle.

Brianna était folle de bonheur.

— Je prouverai à Galen que j'ai ma place dans la patrouille. Il faudra bien qu'il m'accepte, alors !

Elle ouvrit à toute volée la lourde porte aux gonds rouillés.

— Réveille-toi, dormeuse ! Nous partons en patrouille !

Pendant les minutes qui suivirent, Cara et Brianna s'activèrent sans relâche pour installer le harnachement de la dragonne, elle-même tout excitée par cette sortie impromptue. Mais dans la précipitation, elles devenaient maladroites.

— Dépêchez-vous ! appela la voix impatiente de Galen, depuis la cour. Vous n'allez pas y passer l'après-midi !

Brianna mit la dernière rêne en place.

— Nous y voilà !

Puis elle et Cara conduisirent Monty jusqu'au centre de la cour. C'est alors que des battements d'ailes se firent entendre au-dessus de leur tête : c'était Mellan, qui manquait à l'appel de l'escadrille de Tord.

Il posa son dragon au sol et agita la main en direction de Galen.

— Arrêtez tout ! s'écria-t-il. J'ai retrouvé la fillette. Je l'ai ramenée chez elle, saine et sauve.

— Tu l'as retrouvée ? s'étonna Galen. Mais comment étais-tu au courant de sa disparition ?

Mellan partit d'un grand rire.

— Je l'ignorais. C'est sa wiverne qui m'a prévenu. Je rentrais de la Tarasque et cette bestiole n'arrêtait pas de me tourner autour, alors j'ai fini par la suivre et elle m'a conduit tout droit à la gamine.

— On dirait que cet animal a plus de bon sens que sa maîtresse, dit Galen en gesticulant à l'adresse du garde qui continuait à sonner l'alarme. Messieurs, pied à terre !

Les membres de la patrouille s'exécutèrent et entreprirent de desseller les montures avec l'aide des garçons d'écurie.

Brianna sentit ses jambes se dérober sous elle. Si près de son but… La déception était cinglante. Ses paupières se gonflèrent sous l'assaut de grosses larmes d'amertume.

D'une main hésitante, Cara tapota l'épaule de son amie.

— Ce n'est pas si grave, Brianna. Tu auras une autre chance.

— Oui, mais quand ? répondit son amie en serrant les poings. Galen répète encore et encore que je dois faire mes preuves, mais comment le pourrais-je s'il ne me laisse pas voler à ses côtés ?

— Il a dit qu'il te prendrait si tu gagnais le Championnat de l'île, non ?

— Il faudrait d'abord que je me qualifie…

— Eh bien, où est le problème ? rétorqua Cara en faisant claquer sa langue contre son palais. Le concours de Drakelodge a lieu le mois prochain et Monty est guérie. Si tu termines dans les trois premiers, tu seras qualifiée !

— Tu as raison. Je suis désolée… C'est juste que… tu sais ! Tu comprends bien ce que je veux dire…

Elle se tourna vers Monty et lui gratta l'épaule.

— Pardon de t'avoir harnachée pour rien.

Cara n'était pas sûre de comprendre exactement ce que Brianna voulait dire mais elle décida de lui changer les idées.

— Écoute, Monty est prête à s'envoler, et tu ne vas guère t'amuser à aider les débutants. Il fait un temps tellement magnifique ! Si tu veux, je selle Voltefeu et nous irons faire une virée jusqu'à la plage. Nous pourrions pousser jusqu'à la Crique aux remous : tu te souviens, nous l'avons survolée sur le chemin de Tiredaile ? Nous avions regretté de ne pas avoir le temps de nous y arrêter pour visiter cet endroit ! Et tu avais dit que tu aimerais y amener Monty, quand elle se sentirait mieux. Eh bien, c'est l'occasion rêvée, non ? Cela te fera du bien !

Le visage de Brianna s'éclaircit soudain.

— Et Madame Hildebrand ? Tu crois que nous arriverons à nous en tirer à si bon compte ? Sans nous faire prendre ?

— Aucun problème, assura Cara avec un sourire. Je vais aller trouver Gerda et elle trouvera une bonne excuse pour nous couvrir. Allez, viens donc, Brianna ! On va bien s'amuser !

Cette dernière releva le menton, prête à jouer le jeu.

— D'accord ! Tu as bien raison ! Allons-y ! À nous les grands espaces. Un peu de liberté me fera le plus grand bien…

7

Brianna appliqua une pression vigoureuse sur l'arrière-train de sa dragonne.

— Allez, Monty, n'aie pas peur, ne joue pas les poules mouillées ! Mets au moins une patte dedans. Cette eau est délicieusement…

— … G… g… glacée ! hurla Cara.

— J'allais dire rafraîchissante… Vas-y, trempe-toi !

Brianna joignit les mains et les remplit d'une eau scintillante qu'elle jeta à la figure de Cara. Celle-ci se mit à pousser des cris suraigus et éclaboussa à son tour son amie.

Voltefeu, qui tournoyait au-dessus d'elles à la manière d'un oiseau rapace, décida qu'il voulait lui aussi être de la partie.

— Brianna ! Regarde ! Il va plonger !! Tous aux abris !!!

Le dragon replia les ailes et partit en piqué vers la crique. Les vagues produites par son amerrissage sur le ventre submergèrent les deux filles et les emportèrent à plusieurs mètres de là. Un écho répercuta l'onde de choc tout au long des falaises.

Une fois remises de leur surprise, Cara et Brianna entreprirent d'asperger copieusement Voltefeu. L'animal gargouillait de plaisir, s'arc-boutait puis se projetait dans l'eau pour créer des vagues si hautes qu'elles emportaient les deux filles dans un tourbillon d'embruns.

Depuis la plage, Monty poussait des cris anxieux : on aurait dit une corne de brume tout enrouée.

Cara retrouva péniblement un semblant d'équilibre.

— Pas juste ! s'exclama-t-elle. Arrête, espèce de grande brute !

Voltefeu renifla bruyamment et agita les ailes pour les sécher, telles deux grand-voiles claquant sous la brise.

Brianna refit surface à son tour, toussant et crachant.

— Monty ! appela-t-elle, hors d'haleine.

Au prix d'un effort surhumain, elle parvint à contrer les vagues qui la poussaient vers le large et à rejoindre sa dragonne sur la plage. Se jetant à son cou, elle se voulut rassurante :

— Je vais bien, tu vois ?

Monty laissa encore échapper un petit gémissement.

— Nous ne faisons que jouer, tu comprends ? Pourquoi ne te joindrais-tu pas à nous ?

Elle essaya d'entraîner le dragon vers la mer, mais Monty enfonça les serres dans le sable et refusa de bouger d'un centimètre. Elle ressemblait à un gigantesque chien renâclant à prendre son bain.

— Allez, viens donc, vieille peau de saucisson ! insista Brianna en contournant l'animal pour le pousser vers l'eau. Tu n'as pas honte ? Tu n'es pas en sucre, tu ne vas pas fondre !

Elle vint se replacer devant Monty, les mains sur les hanches. Vexée d'avoir été insultée de la sorte, la dragonne détourna le regard, mais Brianna ne désarma pas.

— Je ne peux pas croire qu'une grosse bête comme toi ait peur de l'eau !

Cara s'étranglait de rire. Monty consentit à avancer d'un pas vers la mer, puis se ravisa tout aussitôt, avec un petit glapissement d'excuse.

— Oh, tu ferais mieux de laisser tomber, finit par conseiller Cara. La plupart des dragons ont horreur de l'eau. Peut-être parce qu'ils savent qu'elle éteint les flammes qu'ils produisent… Et puis, ils doivent se rendre compte que la mer recèle une force supérieure à la leur. Une force qui peut se déchaîner sans prévenir…

Brianna affecta de prendre un air menaçant :

— Tu prends sa défense ? Je te revaudrai ça, crois-moi…

Elle décida d'adopter une autre tactique pour attirer Monty vers les flots. Sans la quitter des yeux, elle se mit à marcher à reculons tout en invitant de la main la dragonne à la suivre. Elle eut bientôt de l'eau jusqu'aux genoux, puis jusqu'à la ceinture.

Gagnée par l'impatience, Cara s'allongea sur l'eau et s'éloigna de son amie en faisant une démonstration de son habileté à nager sur le dos.

Mais soudain, Brianna poussa un cri d'effroi, lança les mains vers le ciel et disparut d'un coup, happée par les flots.

Monty et Voltefeu se mirent à pousser des mugissements assourdissants. Alertée, Cara revint en toute hâte vers l'endroit où son amie avait été engloutie.

— Brianna ! Brianna ! appela-t-elle en vain.

Voltefeu s'arracha de l'eau pour prendre de la hauteur, dans l'espoir de la repérer. Pendant quelques secondes, il fit du surplace en battant des ailes, dans un torrent d'embruns.

Enfin, Brianna reparut à la surface, la tête renversée en arrière, frappant l'eau de ses mains et recrachant le liquide salé qui avait envahi ses poumons. Cara avança vers elle. Trop tard ! Brianna s'enfonçait de nouveau…

Mais cette fois, Cara pouvait intervenir : elle plongea et parvint à passer un bras autour de la taille de son amie, puis autour de son cou. Elle resserra son étreinte et entreprit de tirer Brianna, vers la sécurité de la plage de sable. Quelques instants plus tard, elle parvint à destination et déposa son fardeau, qui se tortillait tel un jeune poisson.

Voltefeu, qui avait suivi la manœuvre à deux ou trois mètres de hauteur, laissa échapper un râle de soulagement. Quant à Brianna, elle fut saisie d'une quinte de toux et frotta ses yeux rougis. Lorsqu'elle eut recouvré le souffle et ses esprits, elle se tourna vers Cara et lâcha un simple :

— Merci !

Cara écarta une mèche de ses longs cheveux noirs qui lui collait aux joues.

— Je… je ne comprends pas… Je suis tombée… comme dans un trou, raconta Brianna.

— Tu devais te trouver à la limite d'un haut-fond, et soudain tu as perdu pied, expliqua Cara. Ça va mieux ?

— Oui, ça va, répondit Brianna en toussant de nouveau. Heureusement que tu n'étais pas loin ! Heureusement aussi que tu sais nager…

— Oh, ce n'est rien, répondit Cara modestement. Si je n'avais pas été là, Voltefeu t'aurait sauvée. Tu te rappelles le jour où il m'a repêchée dans le lac ?

Brianna hocha la tête.

— Je devrais aller rassurer Monty, dit-elle. Elle n'a pas l'air d'aller très fort.

En dépit de l'inquiétude qu'elle éprouvait visiblement – et de façon audible, car elle ne cessait de gémir – la dragonne restait à distance, comme si elle craignait de ne pas reconnaître sa maîtresse. Brianna parvint à se relever mais c'est avec difficulté qu'elle parcourut les quelques mètres qui la séparaient de sa monture. Elle avait les jambes en coton.

Cara lui laissa le temps de caresser le museau de Monty pour la calmer. Puis, en se frottant les bras, elle proposa :

— Et si nous allions nous rincer sous la chute d'eau douce, là-bas, tu vois ?

— Oui, bonne idée ! répondit Brianna. Je ne me vois pas remonter en selle tout de suite.

Pendant les minutes qui suivirent, les deux filles se relayèrent sous la cascade glacée, qui avait entamé son voyage vers la mer sous forme de neige fondue au sommet du Mont Tête-de-nuage.

Pour sa part, Voltefeu décida de retourner dans les vagues, qui venaient se briser contre sa grande carcasse écailleuse, provoquant de délicieuses sensations. Mais Monty persista dans sa résistance. Elle s'éloigna le plus loin possible de l'eau, avant de s'enrouler sur elle-même. De temps à autre, elle ouvrait un œil pour s'assurer que sa jeune maîtresse ne se livrait pas de nouveau à quelque acrobatie aquatique…

Après s'être douchées, Cara et Brianna s'assirent sur un rocher pour laisser le soleil sécher leurs vêtements. Cara posa la tête sur ses genoux et son regard se perdit dans l'immensité de l'océan.

— Comme c'est beau… ! commenta Cara.

— Oui, mais triste, aussi, répondit Brianna d'une voix sombre.

— Triste ? Qu'est-ce que tu veux dire ?

— Je connais un endroit où la mer pleure.

— Où la mer… pleure ? répéta Cara, abasourdie.

— Oui, plusieurs fois par an. Elle produit de drôles de sanglots, comme si elle se lamentait…

— D'où vient ce bruit ? demanda Cara.

— Je l'ignore. On dirait qu'il sort de la mer elle-même, lorsqu'elle touche terre. Il y a une grotte dans cet endroit, que les pêcheurs ont baptisée Grotte des soupirs. C'est un lieu qui donne le frisson.

Cara reprit sa contemplation des vagues scintillantes, comme lustrées par le soleil, qui ondulaient sous la brise.

— La mer a l'air si paisible.

— Elle ne l'est pas toujours. Quand une tempête survient, le vent rugit comme un parde. Les vagues viennent se fracasser contre les rochers comme si elles cherchaient à les broyer et à détruire Brésal. Et la mer s'empare de bateaux des pêcheurs et les entraîne dans les profondeurs des ténèbres.

Cara hocha la tête. Elle savait ce que Brianna avait en tête.

— Tu penses à ton père, n'est-ce pas ? Il est toujours pêcheur ? demanda-t-elle doucement.

Brianna évoquait rarement les siens, car elle ne s'en-

tendait pas avec sa famille, pour quelque raison mystérieuse que Cara n'avait jamais percée à jour.

— Il *était* pêcheur. Maintenant, il possède un étal
au marché aux poissons de La Pointe Sud. Quand il
a pris sa retraite, il aurait voulu que je reprenne son
bateau, raconta Brianna en frissonnant. Je lui ai dit que
je préférais les dragons. Il ne m'a pratiquement plus
jamais adressé la parole depuis.

— Je ne comprends pas, dit Cara. Si tu as grandi
dans une famille de pêcheurs, comment se fait-il que
tu ne saches pas nager ?

— Parce que les pêcheurs n'apprennent pas à
nager.

Cara écarquilla les yeux.

— Et pourquoi pas ?

— C'est une sorte de superstition. Ils pensent que
s'ils ne savent pas nager, leur bateau prendra soin d'eux.
Au contraire, s'ils savent nager, un jour leur bateau
coulera et ils devront se débrouiller tout seuls.

— Ce n'est pas logique du tout !

— C'est une superstition. Les superstitions ne sont
pas logiques.

Brianna s'allongea sur le gros rocher et étira ses
membres engourdis par la torpeur de l'après-midi.

— Quoi qu'il en soit, le Peuple des mers sait nager,
lui.

— Oui, mais il ne s'entend pas avec les pêcheurs…

Brianna éclata de rire.

— C'est le moins qu'on puisse dire, en effet. Ils se

détestent les uns les autres. Les pêcheurs disent que ceux du Peuple des mers déchirent leurs filets et volent leur poisson.

— Et que dit le Peuple des mers au sujet des pêcheurs ?

— Je ne sais pas. Je ne le leur ai jamais demandé.

De nouveau, le regard de Cara se fixa sur l'horizon.

— J'aimerais tant rencontrer des gens du Peuple des mers. Je me demande comment ils vivent, là-bas, sous l'eau. Ce doit être si étrange d'habiter dans un endroit dépourvu d'arbres, de vent…

— Oh, il y a les courants marins, répondit Brianna d'une voix ténue, et puis des algues… Parfois, je rêve d'être une sirène. Je n'aurais plus peur de l'eau.

— Mais si tu avais une queue de poisson, tu ne pourrais pas monter de dragon, fit observer Cara avec lucidité.

— Tu as raison, admit Brianna en se levant d'un bond. Allez, faisons la course jusqu'à ce gros rocher, là-bas, et retour ! Comme ça, nous serons bien sèches.

Sitôt dit, sitôt fait. Les deux filles s'élancèrent sous le regard éberlué de Monty et de Voltefeu.

Lorsque les deux amies décollèrent enfin pour regagner la Vallée des dragons, le soleil avait entamé sa descente vers l'horizon. Elles contemplèrent une dernière fois la mer, source de beauté infinie qui recélait pourtant bien des périls, et se laissèrent porter par leurs montures, pas mécontentes de rentrer au paddock.

Les quatre voyageurs parvinrent bientôt au-dessus

des zones désolées de la lande de La Varenne, dont le paysage inhospitalier se composait d'herbe malingre, de rochers couverts d'une mousse jaunâtre et de tourbières d'où pointaient encore de rares touffes de fougère et de bruyère.

Çà et là, désespérément accrochés à la rocaille, on distinguait de chétifs bosquets, composés de petits arbustes arthritiques à la silhouette courbée par les vents d'est qui venaient les balayer chaque hiver, arrivant droit de la mer.

Ignorant le spectacle désolant qu'offraient ces terres peu accueillantes, Cara se laissa emporter par une douce rêverie : un fumet chaud et sucré flottait dans la cuisine… Gerda venait de cuisiner des beignets à la fois fondants et croustillants, gorgés de confiture de framboises et couronnés de crème fraîche épaisse… Cara s'apprêtait à en porter un à sa bouche… Mmmm ! Quel délice…

Mais elle n'eut pas le loisir de s'en délecter car c'est alors que Brianna émit un sifflement. Cara revint brusquement à la réalité et tourna la tête vers la droite, juste au moment où Monty venait se placer à hauteur de Voltefeu. Brianna ralentit l'allure et désigna le sol de son poing ganté. Ses lèvres dessinèrent les syllabes suivantes : «Des-pé-ry-tons !» Cara baissa les yeux et constata qu'elle avait raison : un petit troupeau de cervidés ailés picoraient les herbages faméliques de la lande de La Varenne. Elle les observa un long moment, émerveillée par leur beauté et par l'agilité avec laquelle ils se faufilaient entre les buissons desséchés.

— Et alors ? demanda-t-elle à Brianna.

— Et alors ? Allons à la chasse ! s'écria son amie.

Horrifiée à cette pensée, Cara eut un mouvement de recul.

— À la chasse ? Mais nous n'avons jamais appris… !

— Oh, écoutez-moi cette poule mouillée ! Ce n'est pas si difficile ! Nous n'avons qu'à nous placer dos au soleil et à foncer sur eux. Ils seront aveuglés, ils ne nous verront pas arriver et hop ! Du péryton rôti pour le dîner !

— Mais pour… pourquoi ? balbutia Cara. Nous avons largement de quoi manger à la maison.

— Peut-être bien. Mais les chasseurs disent toujours que la viande a meilleur goût quand on a tué l'animal soi-même. Et puis, réfléchis : si nous revenons avec un péryton que nous avons capturé nous-mêmes, Galen va faire une de ces têtes ! Il aura encore plus de mal à refuser de m'accepter dans son équipe.

Cara ne partageait pas cet optimisme. De surcroît, elle n'avait aucune envie de faire du mal au beau chevreuil ailé. Parfois, elle se faisait violence et apportait un cuissot tout sanguinolent à Voltefeu, parce que c'était son plat préféré, mais elle évitait toujours d'en manger si elle le pouvait.

— Nous devrions nous contenter de signaler la présence de cette troupe aux chasseurs, dit-elle. Ils pourront revenir avec tout le nécessaire et…

111

— ... et entre-temps, la troupe aura disparu et ils n'en attraperont aucun.

— Mais ils sont si jolis, plaida Cara.

— Oh, Cara ! s'exclama Brianna avec impatience. Puisque tu fais l'enfant, je vais m'en occuper toute seule.

— Non, non... Je vais venir, répondit Cara, résignée.

Son cœur battait trop fort à son goût et elle avait le gosier noué, comme si elle venait d'avaler une trop grosse cuillerée de porridge froid, mais elle ne pouvait se résoudre à abandonner son amie.

— Alors, dépêche-toi ! Attends que je sois dans une bonne position, et plonge en plein milieu de la troupe pour qu'ils s'éparpillent. J'arriverai à mon tour par l'ouest, je les séparerai les uns des autres et nous pourrons les chasser.

— Parfait, répliqua Cara, en se disant que, décidément, c'était loin d'être parfait.

Mais elle avait accepté d'être de la partie de chasse et elle ne pouvait plus reculer. Elle regarda d'un air contrarié Brianna effectuer un demi-cercle, puis perdre de l'altitude et enfin se placer entre la troupe et le soleil couchant. Elle se demandait quelle mouche avait piqué son amie, d'ordinaire si prudente et si sensible.

Il ne lui serait jamais venu à l'esprit que Brianna pouvait se sentir éclipsée par sa réussite à elle, Cara, et éprouver le besoin de se montrer à la hauteur de sa meilleure amie...

Au moment où Monty s'apprêtait à fondre sur les malheureux pérytons, Cara imprima une forte pression sur ses rênes de jambes, puis relâcha celle de droite. Aussitôt, Voltefeu obliqua docilement et exécuta un plongeon quasiment à la verticale.

En dépit de ses réserves quant à cette équipée, Cara ne put s'empêcher de goûter ce moment pendant lequel la vitesse et la puissance de l'animal lui arrachèrent un sourire carnassier. Le vent sifflait à ses oreilles et gonflait son blouson. Malgré ses lunettes de protection, elle avait les larmes aux yeux. Les jointures de ses doigts, ainsi que ses genoux et ses cuisses étaient tout endoloris tant elle les crispait pour rester en selle et ne pas lâcher les rênes.

Vint le moment où Voltefeu, juste au-dessus des pérytons épouvantés, qui fuyaient dans toutes les directions, remonta brusquement vers le ciel avec des battements furieux de ses ailes fragiles. Presque au même instant, Monty apparut. Brianna était debout sur ses étriers et poussait des cris, exaltée par sa propre audace. Cara ne la quittait pas des yeux : elle avait repéré un animal isolé – un vieux mâle, à en juger par sa taille et son pelage gris – et s'était lancée à sa poursuite.

Le dragon l'emportait en poids, en vitesse et en force sur la proie. Mais le péryton avait plus d'un tour dans ses bois. Il avait survécu à de multiples attaques – de la part de chiens de feu, de hurleurs et de pardes, mais aussi de dragons – et il avait bien l'intention de survivre à celle-là.

Bien
qu'il ne
puisse
riva-
liser en
rapidité
avec le
dragon,
il pouvait
changer
de direc-
tion plus
aisément. À
plusieurs reprises,
Cara, le cœur au bord
des lèvres, vit le péryton
laisser Monty s'approcher de
lui tellement près que ses serres
le frôlaient. Mais juste au moment
où la dragonne s'apprêtait à s'en saisir,
il virait subitement à gauche ou à droite
et Monty n'agrippait que de l'air. Brianna
devait alors perdre du temps à effectuer un
nouvel arc de cercle pour se lancer de nouveau à la
poursuite de sa proie.

— Laisse tomber, Brianna ! Laisse tomber, je t'en
prie !

Mais elle ne voulait rien entendre. Obsédée par la

114

perspective de déposer un péryton fraîchement tué aux pieds de Galen, elle repartait à la charge, encore et encore.

— Oh non! s'exclama soudain Cara. De la position élevée où elle se trouvait, elle venait de s'apercevoir que le rusé péryton, qui volait en rase-mottes, se dirigeait tout droit vers des buissons de petits arbustes épineux.

Lorsqu'il sentit que Monty se rapprochait de nouveau, il pénétra dans le dédale d'arbustes, zigzaguant avec agilité entre leurs branches. Monty, prenant conscience du danger, commença à ralentir, mais Brianna, sous le regard effaré de Cara, fouetta sa monture avec ses rênes et l'encouragea à continuer la poursuite.

Monty hésita, puis se rapprocha du sol et essaya de suivre le péryton entre deux pins. Mais il n'y avait pas assez d'espace pour une dragonne de cette envergure et les pointes de ses ailes heurtèrent les branches. Brianna se protégea le visage de ses bras, mais la dragonne perdit tout contrôle de ses mouvements et s'écrasa au beau milieu des buissons, dans un déluge d'épines et de branches brisées. Une volée d'oiseaux sauvages se décrocha des arbres et partit en piaillant, cependant que le corps massif du dragon produisait un nuage de poussière nauséabond au contact des feuilles mortes.

Quelques secondes plus tard, il régnait un silence absolu.

Cara fit atterrir Voltefeu au plus près des bosquets et sauta de sa selle. Elle arracha son casque et ses lunettes de protection et se rua à travers les épines et la poussière en suspension dans l'air jusqu'à l'endroit où son amie s'était écrasée.

tion et

8

Le battant de la grosse cloche suspendue en haut de la tour de garde se mit de nouveau en action. L'écho toni-truant de l'alarme se répercuta d'un bâtiment à l'autre de la Vallée des dragons. Trois coups, une pause, puis deux autres coups, encore une pause et ainsi de suite, sans relâche.

Galen, occupé à bavarder avec les autres membres de son escadrille, pivota sur ses talons et leva les yeux vers le ciel. Wony et Wilf, qui nettoyaient la cour de l'écurie, sursautèrent.

— Que se passe-t-il encore ? demanda le jeune garçon en laissant tomber son balai. Sommes-nous attaqués ? Par qui ? Des chiens de feu ? Des hurleurs ? Des pardes ?

Wony secoua la tête.

— Ce n'est pas le code qui correspond à une attaque. C'est le signal qu'un dragon blessé rentre au haras.

— Quelqu'un de la patrouille ?

— Impossible, répondit Wony, visiblement tendue. L'équipe de Galen est de retour et celle d'Imar vient à peine de partir. Ils n'ont pas encore eu le temps d'avoir un accident.

Le Maître des dragons sortit à grandes enjambées par la porte de la cuisine, enfilant en hâte sa tunique. Gerda, tout inquiète, le suivait comme son ombre, en secouant les mains pour en faire tomber des restes de farine. Albéric le vétérinaire, venu traiter l'un des dragons de course, qui souffrait d'épuisement, apparut à l'entrée d'un box, arborant une expression où se mêlaient de l'excitation et le détachement du professionnel.

D'une main, le garde continuait d'actionner le battant de la cloche, pointant de l'autre la direction du sud-ouest. Tout le monde scrutait le ciel.

Deux dragons approchaient, progressant lentement. Le premier semblait porter deux dragonniers. Celui qui se trouvait derrière lui avait manifestement des difficultés : il avançait en zigzaguant, devait produire des efforts d'une intensité anormale pour rester en l'air. On aurait pu dire qu'il battait de l'aile.

À mesure qu'il se rapprochait, les yeux les plus perçants commencèrent à distinguer des déchirures au niveau de ses ailes, justement.

— Faites place ! Dégagez la cour ! ordonna Huw d'une voix brusque.

Bouche bée, Wony décocha un coup de coude à Wilf.

— C'est Brianna et Cara sur Voltefeu... et Monty est blessée...

— J'ai dit : Dégagez la cour ! aboya le maître des lieux.

Aussitôt, Wilf et Wony détalèrent comme des lapins. Galen et ses hommes conduisirent leurs dragons dans leurs box respectifs. Les garçons d'écurie repoussaient au passage les museaux trop curieux et refermaient le battant du haut des lourdes portes en fer : la vue d'un dragon blessé aurait eu pour effet garanti de semer l'agitation parmi tous les autres.

Voltefeu arriva et décrivit un cercle au-dessus de la maison et des écuries pour laisser Monty atterrir la première. La dragonne blessée faillit accrocher au passage le toit de la partie ouest des écuries et se laissa tomber au sol plus qu'elle ne se posa. Elle battit des ailes d'un air pathétique, boitilla et s'affaissa sur le ventre. Emportée par son élan, elle glissa jusqu'au centre de la cour et, incapable de s'arrêter, vint s'échouer telle une baleine contre le mur du puits. Les yeux mi-clos, elle poussa un grognement, cependant que sa cage thoracique montait et descendait à une cadence effrénée, signe qu'elle cherchait à reprendre son souffle après cet effort majeur.

Wony et plusieurs garçons d'écurie se précipitèrent, mais Huw les arrêta net :

— Reculez ! Laissez passer Albéric !

Hochant la tête, le vétérinaire s'avança. Ses jambes d'échassier le propulsèrent rapidement à travers la cour pavée. Parvenu devant Monty, il les replia sous lui avec soin et entreprit de palper les flancs de l'animal.

Il leva les yeux et fit un signe de tête à l'adresse de celui qui se trouvait le moins éloigné de lui et qui n'était autre que Wilf.

— Toi, mon garçon !

Ce dernier hésita un moment, lança un regard désespéré à Wony, et n'eut d'autre choix que de parcourir les quelques mètres qui le séparaient du vétérinaire, pour lui venir en aide. Albéric lui donna une série d'instructions d'un ton sec et Wilf saisit précautionneusement l'aile blessée de Monty pour l'écarter de son corps, afin que le vétérinaire puisse évaluer la profondeur de la blessure. Fascinée et horrifiée à la fois, Wony vit plusieurs jets de sang jaillir de l'aile de la dragonne et gicler sur la main de Wilf. Le jeune garçon manqua tourner de l'œil mais résista bravement.

Avec un battement d'ailes vigoureux, Voltefeu se posa à l'autre bout de la cour. Brianna se laissa prestement glisser à terre et se dirigea vers Monty en

120

claudiquant, aussi vite que ses propres blessures le lui permettaient. Elle se jeta au sol à côté de sa dragonne et enlaça son énorme tête avec émotion. Son visage ruisselait de larmes.

— Monty... Oh Monty, je suis désolée, je m'en veux tellement ! balbutia-t-elle entre deux sanglots.

Cara mit à son tour pied à terre. Voltefeu laissait échapper des vocalises gutturales. Pour le calmer, elle caressa l'arête grumeleuse de son arcade sourcilière. Mais en dépit des efforts qu'elle faisait pour masquer son trouble, ses mains tremblaient.

Personne ne bougeait. Personne ne parlait. Tous les yeux étaient fixés sur Albéric, qui tentait de déterminer les dommages exacts qui avaient été causés aux muscles, aux cartilages ou aux os de l'animal. De temps à autre, il demandait à Wilf de relever l'aile ou de soulever une patte. Ne prêtant aucune attention au sang dont sa tunique était maintenant imprégnée, le jeune garçon obéissait sans broncher et avec une délicatesse inattendue. Il alla même jusqu'à tenir la gueule de Monty ouverte le temps qu'Albéric l'inspecte de fond en comble.

Le vétérinaire s'attarda longuement sur la patte avant gauche de la dragonne, qu'il examina avec des doigts experts. Puis il se releva. Brianna le contempla comme s'il s'agissait d'un bourreau prêt à exécuter une sentence de mort.

— Son cœur bat trop vite, annonça Albéric sans trahir aucune émotion. Plus de soixante-dix battements par minute. Elle est épuisée et en état de choc. Les muscles en ont pris un sacré coup. À part ça, pour autant que je puisse en juger…

Brianna ferma les yeux.

— … pas d'hémorragie interne, aucun os brisé, pas de transfusion sanguine nécessaire. Les déchirures sur ses ailes sont douloureuses mais superficielles. Si elle est correctement soignée, je ne vois aucune raison pour qu'elle ne se remette pas rapidement.

Brianna exhala bruyamment son soulagement et colla la tête contre la joue écailleuse de Monty.

— Aide-moi, mon garçon ! dit Albéric à Wilf, en le jaugeant de la tête aux pieds. Ramenons cette bête à son box.

Il saisit le filet et Monty se releva péniblement. Brianna s'apprêtait à lui emboîter le pas lorsque Huw la retint.

— Albéric peut s'occuper de Monty pendant un instant, lâcha-t-il d'une voix cassante.

Il parcourut l'assistance d'un regard sévère, histoire de rappeler aux spectateurs qu'il y avait du travail à faire. Tous se dispersèrent en échangeant quelques paroles à voix basse. Huw attendit qu'ils aient disparu pour commencer à parler.

— Eh bien ? Que s'est-il passé ?

— C'est ma faute, Maître.

Maintenant qu'elle était rassurée au sujet de Monty, elle avait retrouvé tout son courage.

— Je suis entièrement responsable, ajouta-t-elle. J'ai

122

voulu aller chasser. Cara a tenté de m'en empêcher, mais je ne l'ai pas écoutée.

Brianna raconta par le menu tout ce qu'il s'était passé d'un ton calme, ne se cherchant aucune excuse. Son récit fut accueilli par Huw avec un long silence.

— Aller chasser ! aboya Galen avec mépris. J'aurai tout entendu ! Petite écervelée !

Gerda approcha en se dandinant.

— Laisse la pauvrrre gamine trrranquille, Galen ! Tu vois bien qu'elle est au bout du rrrouleau !

— Elle n'a que ce qu'elle mérite ! s'exclama Galen, furieux. Elle prétend être une dragonnière, elle me harcèle pour que je la prenne dans mon équipe. Peuh ! Elle ne serait même pas capable de voler dans le Cercle des débutants. Si elle n'avait pas été très, très chanceuse aujourd'hui…

Brianna baissa les yeux et Galen prit sur lui pour maîtriser son courroux.

— Les chasseurs se déplacent toujours par trois, gronda-t-il, et c'est pour une bonne raison. Si l'un d'eux est blessé, le deuxième reste à ses côtés et le troisième part en quête de secours. Imagine que Monty n'ait pas été capable de voler ? Tu aurais imposé un dilemme terrible à Cara : rester avec toi et te protéger, ou aller chercher de l'aide en sachant qu'à son retour elle ne retrouverait peut-être qu'un cadavre déchiqueté par des chiens de feu, des hurleurs ou des pardes. Aucun dragonnier digne de ce nom n'en place un autre dans une telle situation.

— Trrrès bien. Tu as dit ce que tu avais à dirrre et c'en est assez, intervint Gerda en interposant son imposante silhouette entre Galen et Brianna.

À sa façon, la gouvernante de la Vallée des dragons était aussi redoutable que le chef de la patrouille. Galen la fusilla du regard, mais n'ajouta rien.

Gerda se tourna alors vers Brianna.

— Va rrretrrrouver ton drrragon, ma chérrrie, dit-elle avec douceur. Ensuite, viens me voir dans ma cuisine. Rien de tel qu'un bon bol de soupe bien chaude pour se rrremettre de ses émotions ! Et ensuite, tu iras prrrendre un bain chaud.

Après avoir tapoté l'épaule de la fillette, elle se dirigea vers « sa » cuisine.

— Gamine idiote, marmonna Galen. J'espère que vous n'allez pas laisser passer cet incident, Maître, dit-il en se tournant vers Huw. Il faut qu'il soit marqué au fer rouge dans sa mémoire.

Huw suivit Brianna du regard, la dureté de son expression tempérée par un sentiment de pitié.

— Je ne pourrai lui infliger aucune sanction qui soit plus douloureuse que la peine qu'elle s'inflige déjà à elle-même, répondit-il. Elle est déjà bien punie de sa témérité.

Dès qu'elle eut ôté le harnachement de Voltefeu et qu'elle l'eut nettoyé en toute hâte, Cara retourna au box de Monty. À la lumière d'une lanterne, Brianna et Wilf essuyaient le sang qui avait séché sur les ailes et sur le corps de la dragonne, avec beaucoup de soin et d'amour. Cara les observa un moment, appuyée sur le battant de la porte du box, fascinée. Wilf ne ménageait pas sa peine : il rinçait le chiffon souillé de sang dans un seau d'eau, recueillait du baume de stramoine et l'appliquait sur l'aile abîmée. Au contact du mélange astringent, Monty tressaillait, puis soupirait d'aise dès qu'il produisait son effet calmant.

— Je peux vous aider, demanda timidement Cara, qui se sentait comme une intruse.

Brianna leva les yeux vers elle. Sa lèvre inférieure tremblait. Elle lui fit signe d'entrer, sans un mot.

Cara se glissa à l'intérieur du box, gardant le battant du bas ouvert pour Wony, qui arrivait avec un seau d'eau

propre. Cara attrapa un autre chiffon et le trempa dans le seau.

— Moi qui croyais que tu avais peur des dragons, dit-elle à Wilf en commençant à éponger le sang qui maculait le flanc de Monty.

Wilf ne s'interrompit pas dans sa tâche.

— C'est différent quand ils sont blessés, répondit-il. Et puis, c'est ce que je faisais à la ferme, avant de venir ici. Je m'occupais des animaux malades. Les moutons, les quines… je me débrouillais bien, je crois. Et après tout, un dragon n'est qu'un gros animal…

Brianna éclata de nouveau en sanglots. Cara s'approcha d'elle et passa les bras autour de ses épaules.

— Ne pleure pas. Tout va bien aller. Tu as entendu Albéric : Monty va se remettre. Regarde, elle se sent déjà mieux. Allez, fais-moi un sourire. Tu verras, demain tout cela ne sera plus qu'un mauvais souvenir.

Mais le lendemain matin, les choses ne s'étaient pas arrangées. Pas plus qu'elles ne s'arrangèrent les matins suivants.

Albéric avait vu juste : les blessures de Monty s'étaient vite résorbées. Les dragons avaient le cuir épais et leur corps était conçu pour cicatriser rapidement.

— Monty va bien, avait lancé Cara à Madame Hildebrand le matin du jour où Brianna avait sorti son dragon dans la cour pour la première fois depuis l'accident. À part ces grosses cicatrices, on ne devinerait jamais ce qu'il lui est arrivé.

— Peut-êêêtre bien, avait répondu Madame Hildebrand. Mais certaines autres blessures mettent plus longtemps à guérir.

Cara, agacée par ce qui ressemblait à l'une des prophéties sinistres dont Madame Hildebrand se régalait, avait choisi dans un premier temps de n'y prêter aucune attention. Mais au bout de quelques jours, elle dut se rendre à l'évidence : la prophétie en question se concrétisait petit à petit. Si bien qu'elle finit par s'inquiéter.

En effet, lorsque Brianna et Monty se remirent à voler ensemble, quelques semaines après leur accident, ce n'était plus comme avant.

La compétition de Drakelodge approchait à grands pas, mais leurs évolutions aériennes faisaient peine à voir. Monty avait pris pour habitude de refuser les obstacles ou de les franchir en accrochant systématiquement une barre. À tel point que les arrimeurs commençaient à se plaindre du surcroît de travail occasionné par cette mauvaise volonté flagrante.

— Qu'est-ce qui ne va pas ? demanda Cara à Madame Hildebrand en voyant Brianna reprendre de la hauteur et faire demi-tour après avoir essuyé un énième refus de Monty devant des barres horizontales. Brianna n'a jamais aussi mal monté et Monty est aussi agitée qu'un péryton.

— La confiance, répondit l'Instructrice principale. Ou plutôôôt son absence. Il existe cinq raisons principâââles pour lesquelles un draaagon peut refuser un obstacle.

Elle les énuméra en s'aidant des doigts d'une main.

— Mauvais dragonnier, douleur, désobéissance, fatigue et… peur. L'accident provoqué par le coup de folie de Briannâââ a rompu le Pâââcteconfiance qui existait entre elle et sa dragonne. Et il ne sera pas facile à renouer. Si Monty refuse les obstacles, ou les franchit en heurtant les barres, c'est parce qu'elle a perdu confiance dans le jugement de Briannâââ. Quant à ton amie, elle a perdu confiance en elle-même.

— Mais vous n'avez pas perdu espoir, n'est-ce pas ? Il va se rétablir, ce Pacteconfiance ?

— Oui, rassure-toi. Et il se renforcera de jour en jour, affirma Madame Hildebrand. Mais sera-t-il aussi fort qu'avant ? interrogea-t-elle en fronçant les sourcils. Celâââ, je l'ignôôôre. Et plus Brianna tentera de forcer la main à sa dragonne, plus il lui faudra de temps pour reconquérir sa confiance. Carâââ, essaie de la persuâââder de se détendre, de relâcher la pression qu'elle s'inflige à elle-même et à Monty. Il faut qu'elle prenne son temps. C'est le seul moyen.

Pendant les jours qui suivirent, Cara s'employa à mettre en application ce conseil. Mais dès qu'elle suggérait à Brianna de se joindre à elle et à Voltefeu avec Monty, son amie lui répondait presque toujours qu'elle avait autre chose à faire. Et les rares fois où elle accepta, Cara eut toutes les peines du monde à trouver les mots justes : Brianna la regardait avec une expression des plus étranges, comme si elle ne comprenait absolument pas où Cara voulait en venir.

— Pauvre Brianna, murmura-t-elle à l'oreille de Voltefeu après une séance d'entraînement durant laquelle Monty avait démoli davantage d'obstacles qu'elle n'en avait franchi. Je ne sais pas quoi faire… je voudrais l'aider mais elle m'en empêche.

Voltefeu exprima sa compassion par un gazouillis des plus délicieux.

— Elle ne s'est pas encore qualifiée pour le Championnat de l'île et il ne reste plus que trois compétitions.

Elle caressa les paupières rugueuses de Voltefeu.

— Je me fais du souci pour elle. C'est tellement important pour Brianna… et il reste si peu de temps !

9

Le jour de la compétition de Drakelodge était arrivé.

Après avoir réalisé un autre parcours intermédiaire sans faute, Cara dirigea Voltefeu vers le paddock où se trouvaient Brianna et Monte-en-l'air. Mais au spectacle de leur mine défaite, sa joie s'évapora d'un coup.

D'un air absent, elle accepta les compliments des autres concurrents (même Ernestine, qui avait elle-même effectué un sans-faute, lui adressa un hochement de tête glacé) avant de s'approcher de Brianna, un sourire forcé aux lèvres.

— Trois sans-faute jusqu'à présent, annonça-t-elle d'un ton guilleret. Moi, Ernestine et Ferris, de Drakelodge. Tu devrais te dépêcher car ça va bientôt être ton tour. Et ensuite, nous devrons nous départager !

— Non, je ne crois pas que ce sera nécessaire aujourd'hui, répondit Brianna d'une voix morne.

Le cœur de Cara se serra, mais elle persista à donner le change, à conserver son expression joyeuse.

— Qu'est-ce que tu racontes ? Tu sais très bien que vous pouvez y arriver, toi et Monty. Essaie d'appliquer ce précepte que tu m'as enseigné : rentre dans l'arène et profite du moment !

Brianna gardait les yeux obstinément fixés sur ses pieds.

— Cara, je…

Elle inspira fortement.

— Écoute, ça va aller, je t'assure. Mais, s'il te plaît, Cara…

— Oui ?

— Laisse-moi tranquille, d'accord ?

Cara fut frappée de stupeur par le ton de son amie.

— Ah… euh… oui… d'accord. Comme tu veux, marmotta-t-elle. Eh bien… bonne chance !

Brianna ne répondit rien.

Profondément blessée, Cara emmena Voltefeu reprendre sa place à l'intérieur de son enclos. Elle ne s'aperçut pas que Hortense, qui se tenait non loin de là, n'avait rien manqué de son échange avec Brianna et dardait un large sourire, semblable à celui d'une fouine qui viendrait juste de s'immiscer dans le nid d'une famille de lagopèdes…

Cara s'assura que Voltefeu n'avait besoin de rien et se hâta vers l'arène où se déroulait l'épreuve à laquelle

Brianna devait participer. Elle s'adossa à une palissade, jaugea du regard la taille de la foule – assez impressionnante – et remarqua une silhouette familière au bord de l'arène, à quelques mètres de là.

— Wilf ! Qu'est-ce que tu fais ici ?

Le jeune garçon marcha vers elle avec un large sourire.

— Je fais partie des rats d'arène, annonça-t-il fièrement.

— Ah bon ? Je croyais que tu étais employé comme écureuil et que tu devais te poster sur la traverse la plus haute ?

— Moi aussi. Mais quand je me suis présenté devant le chef arrimeur de Drakelodge, il m'a répondu qu'il ne laisserait jamais un avorton malingre et incompétent comme moi escalader un de ses mâts.

— Quel toupet ! J'espère que tu l'as remis à sa place.

— Tu veux rire ? Je lui ai serré la main. Je lui aurais même proposé d'épouser sa fille… s'il en avait une !

Wilf était tellement soulagé qu'il en aurait dansé.

— Le boulot de rat d'arène me convient parfaitement. Ramasser des barres est beaucoup moins dangereux que de se suspendre à un mât, et on court bien moins de risques de finir aplati comme une crêpe de Gerda…

— J'espère que tu pourras prendre du repos pendant que Brianna effectuera son parcours, répondit Cara en souriant.

— Comment va-t-elle ? demanda Wilf.

— Elle est un peu… tendue, fit Cara avec une moue de dépit. Nous sommes déjà trois à avoir réussi le sans-faute. Alors, si elle veut participer à l'épreuve qui nous départagera et avoir une bonne chance de se qualifier pour le Championnat de l'île, elle n'a pas droit à l'erreur.

Elle s'interrompit, car un tonnerre d'applaudissements venait de saluer l'entrée de Brianna et de Monty dans l'arène.

— Il faut que j'y aille, dit Wilf. Croisons les doigts !

En allant rejoindre les autres «rats» au centre de l'arène, il perçut un murmure d'excitation dans la foule. Les spectateurs avaient pu apprécier le brio de Brianna lors de compétitions précédentes et ils s'attendaient encore à voir un beau spectacle.

La cloche sonna pour annoncer le départ. Aussitôt, Brianna orienta Monty vers le premier obstacle. Cara ne les quittait pas des yeux.

— Allez, Brianna ! fit-elle à mi-voix. Tu peux y arriver si tu le veux, tu sais que tu le peux.

En voyant son amie guider avec succès sa monture à travers les deux poteaux verticaux, Cara lui cria un encouragement et l'engagea à continuer sur sa lancée.

L'obstacle suivant était un double horizontal qui ne posait pas de difficulté particulière. Voltefeu et Cara l'avaient passé sans encombre. Mais Brianna manquait de sûreté et son approche s'en ressentait. Ses mains se tortillaient et ses jambes gigotaient, ce qui avait pour effet d'envoyer des signaux contradictoires à la dragonne. En raison de l'indécision de Brianna, Monty exécuta un virage à droite trop prononcé et heurta de plein fouet les barres de bois, qui furent précipitées vers le sol.

Cara sentit ses jambes se dérober sous elle. C'en était fini des espoirs de Brianna… Quelle déception ! Elle comprenait exactement ce que devait ressentir son amie en cet instant : il était inutile de continuer, et pourtant elle devait terminer le parcours… Pas question d'abandonner.

Le spectacle qui suivit consterna Cara. Monty et Brianna évoluaient comme deux débutants, en quête d'un rythme qu'ils ne parvenaient pas à trouver. Monty heurta un autre obstacle et une barre partit en piqué, droit sur Wilf. Il n'eut que le temps d'esquiver le pieu géant, qui vint se planter dans le sol juste à côté de lui, avec un énorme craquement. Wilf devint aussitôt livide : il contempla longuement le pal vibrant qui avait manqué l'embrocher comme un péryton.

Le calvaire de Brianna se poursuivit.

Devant le cinquième obstacle, Monty vira soudainement à gauche, évitant les barres parallèles entre lesquelles n'avait été ménagé qu'un espace étroit. Cara se mordilla la lèvre inférieure : un refus, cela représentait cinq points de pénalité.

La foule, qui restait sur sa faim, commençait à trouver le temps long et encourageait mollement Brianna. Celle-ci tenta une seconde fois de franchir les deux barres verticales, mais de nouveau la dragonne se cabra, cette fois en virant sur la droite. Les spectateurs poussèrent un grondement collectif.

Cara n'osait même plus regarder. Encore un refus, et Brianna serait disqualifiée – ce qui ne lui était jamais arrivé. Qu'en dirait Galen ? Elle ne voulait même pas y songer.

De toute évidence, les mêmes pensées agitaient Brianna, qui se débattait tant et plus pour faire obéir Monty.

— Monty, Monty ! Je t'en supplie…

Mais la dragonne ne voulait rien entendre. Elle était déterminée à ne plus franchir aucun obstacle. C'est alors que, sous les yeux horrifiés de Cara, Brianna sembla perdre la tête. Ne tenant plus les rênes que d'une main, elle ouvrit avec l'autre la poche qui se trouvait sur le côté de sa selle et en sortit un fouet.

— Oh non, Brianna ! s'exclama Cara. Ne fais surtout pas ça !

Comme elle ne tenait plus les rênes que d'une main, Brianna était ballottée de gauche et de droite. Seule, sa ceinture de sécurité la maintenait en selle. Sa main resserra son étreinte sur le manche du fouet en cuir et elle l'éleva vers le ciel.

Cara avait le cœur au bord des lèvres. Brianna n'allait tout de même pas frapper Monty ? Si elle le faisait, elle enfreindrait une règle majeure de la Vallée des dragons. « Ne jamais frapper un dragon sous le coup de la colère. » Ses jours au haras de Huw seraient comptés.

Brianna leva le fouet bien haut au-dessus du flanc droit de Monty. Pendant un moment, elle resta la main en l'air, comme si elle hésitait.

Puis elle abaissa le bras, sans porter de coup à l'animal et fit virer la dragonne avant l'obstacle.

Elle avait mis fin à son parcours d'elle-même.

Cara manqua s'évanouir de soulagement. Au moment où Monty atterrissait, des applaudissements consolateurs montèrent de la foule. Sans se retourner, Brianna conduisit sa monture hors de l'arène, avec un visage de marbre.

Cara se précipita vers la sortie pour aller soutenir son amie. Elle trouva une Brianna effondrée, en larmes, encore assise sur sa dragonne malheureuse comme les pierres.

— Brianna…

Les mots lui manquaient. Que dire en pareille circonstance ? Peut-être fallait-il essayer d'expliquer à Brianna que ce n'était pas sa faute si Monty avait refusé les obstacles ?

— Ce double vertical… Monty a dû repenser à

l'espace trop étroit entre les pins quand tu chassais le péryton et…

— Je sais parfaitement ce qu'elle pensait, répliqua Brianna avec acrimonie, tout en essuyant ses larmes. Je n'ai pas besoin qu'on me le dise…

Cara tendit une main vers l'étrier de Brianna.

— Elle réapprendra à te faire confiance, j'en suis sûre. Je sais que c'est dur mais il faut lui donner un peu de temps…

— Mais oui, bien sûr ! C'est tout bénéfice pour toi : tu as une adversaire de moins !

Brianna planta les talons dans les flancs de Monty et l'animal se mit en marche vers son paddock.

Immobile, Cara la regarda partir sans mot dire. Sous le choc de ce qu'elle venait d'entendre, elle se mit à trembler.

C'est alors que Wony arriva en courant, hors d'haleine.

— Cara ! Cara ! Je suis sixième ! C'est la première fois que je tentais un sans-faute intermédiaire et je n'ai fait tomber que trois obstacles. Frelon a été magnifique !

— Oh… bravo, Wony, répondit Cara d'un air absent.

Devant un tel manque d'enthousiasme, Wony prit un air dépité.

— C'est un drôle de bon résultat pour un premier essai, insista-t-elle néanmoins. Je pensais que tu serais contente…

— Oh, Wony, s'excusa Cara, je suis désolée. C'est juste que…

— Tu n'as pas réussi un sans-faute ? Quelqu'un d'autre a gagné ?

Cara secoua la tête.

— Si, j'ai fait un sans-faute. C'est Brianna…

Elle entreprit de lui raconter le spectacle désastreux que Brianna venait d'offrir. Wony baissa les yeux, comme si elle éprouvait en son for intérieur la douleur que Brianna ressentait.

Pendant ce temps, à l'intérieur de l'arène, Wilf suait et soufflait : à peine remis de ses émotions, il lui avait fallu enfiler toutes les barres heurtées par Brianna dans les boucles des solides courroies qui les maintiendraient en place pendant la remontée. L'annonceur saisit son mégaphone :

— Et maintenant, venue de la Tarasque et montant Nuage d'argent, voici la fille de notre Seigneur, mademoiselle Hortense !

La cloche retentit, au grand désespoir de Wilf.

— Oh non ! C'est reparti pour un tour ! Tous aux abris !

Il jeta un regard envieux en direction de l'écureuil le plus proche, à mi-hauteur de son mât, confortablement à l'écart.

Fidèle à elle-même, Hortense bouscula le premier, le deuxième et le quatrième obstacle, puis le sixième, le septième et, pour faire bonne mesure, le huitième.

Même pour Hortense, c'était là une performance particulièrement calamiteuse.

Au sol, Wilf et ses compagnons d'infortune n'avaient jamais autant mérité leur surnom de rats d'arène. Ils couraient en tous sens pour se protéger contre la pluie de barres et de poteaux qui s'abattait sur eux.

— Chaque fois, c'est pareil, marmonnait Wilf dans sa barbe en s'escrimant à déterrer un poteau fiché dans l'herbe.

Il poussa un cri d'effroi en voyant une autre barre se loger dans le sol à quelques centimètres de lui.

— Moi qui croyais que les écureuils étaient cinglés ! gémit-il. Je ne connaissais pas mon bonheur, là-haut !

Lorsque Hortense en eut enfin terminé, les spectateurs contemplèrent avec ébahissement cette dévastation. Dans les tribunes, Lord Torin pestait et soufflait en moulinant des bras.

— Je n'arrive pas à comprendre ce qu'il s'est passé ! *Pppfff !!* Ce doit être la manière dont le parcours a été conçu ! *Pppfff !!* Ma fille n'est pas si mauvaise, chacun le sait. Elle remporte toujours les sessions d'entraînement à la Tarasque, ce n'est pas pour rien, tout de même ! *Pppfff !! Pppfff !!*

Madame Hildebrand, qui était assise juste derrière lui, songea que si Hortense gagnait systématiquement les épreuves organisées en interne à la Tarasque, c'était sans doute parce que les autres concurrents avaient reçu pour ordre du Maître Adair de la laisser gagner. Mais elle jugea que s'en ouvrir au Seigneur de Havremer serait faire preuve d'un singulier manque de tact.

— *Pppfff !!* Terrible parcours, terrible ! reprit Torin. Je vais dire deux mots à ces juges ! Les ramener à la raison, que diable ! *Pppfff !!*

Les trois dragons qui allaient disputer l'épreuve destinée à départager leurs maîtres étaient à la queue leu leu non loin de l'entrée de l'arène. Wony aidait Cara à vérifier le harnachement de Voltefeu. Remporterait la rosette d'or le concurrent qui se verrait infliger le moins de pénalités ou, en cas d'ex-aequo, celui qui aurait bouclé le parcours le plus rapidement. Cara voulait éviter à tout prix qu'une sangle ou une boucle se détache en vol.

— Tu penses que je devrais aller parler à Brianna ? demanda Wony, qui venait d'en terminer avec les étriers.

— Non, dit Cara. Je pense que le mieux est de lui donner le temps de se calmer. Laissons-la en paix.

— D'accord, répondit Wony en s'approchant de Cara pour la serrer dans ses bras. Bonne chance pour l'épreuve !

Souriante, Cara enfila son casque et ses lunettes de protection, prit appui sur la patte avant de Voltefeu et se hissa en selle. La cloche sonnait déjà et les trois dragonniers furent bientôt invités à faire leur entrée dans l'arène.

Au paddock, Brianna était occupée à essuyer Monty. Elle s'arrêta un instant en entendant le mégaphone.

— Premier concurrent ! Un garçon du cru, alors encourageons-le de toutes nos forces ! Ferris de Drakeloge !

La foule se mit à applaudir avec enthousiasme.

— Tu ne vas pas assister à la dernière épreuve ?

Brianna sursauta, puis se retourna pour découvrir Hortense… et se remit aussitôt à sa tâche, sans répondre. Hortense fit mine de ne pas s'en offusquer et reprit d'une voix mielleuse :

— Je pensais que tu irais soutenir Cara. Je veux dire… l'honneur de la Vallée des dragons et tout ça…

Brianna demeura imperturbable et poursuivit le nettoyage du flanc droit de Monty. Un grondement de déception monta de l'arène, signalant que Ferris venait de heurter un obstacle.

— Oh, ce n'est qu'une petite compétition de rien du tout, je sais… ajouta Hortense. Ce n'est pas une question de vie ou de mort…

— Qu'est-ce que tu veux, Hortense ? interrompit Brianna.

— Comment ça, qu'est-ce que je veux ? Pourquoi est-ce que je voudrais quelque chose ?

Hortense arbora l'expression de l'innocence blessée.

— Je voulais juste te dire que je regrettais pour toi que la course se soit mal passée. Cela ne te ressemble pas de heurter tous ces obstacles. Et Monte-en-l'air n'a pas pour habitude de refuser de les franchir. C'est ce

142

que j'ai dit à toutes mes amies. «Brianna vaut beaucoup mieux que ça!»

Brianna ferma les yeux pour empêcher des larmes d'humiliation de couler. Il fallait qu'elle garde son calme. Elle comprenait très bien où Hortense voulait en venir. Cette peste goûtait chaque instant de la torture qu'elle lui infligeait.

— Mais quand j'ai appris... enfin... ce qu'il s'était passé l'autre jour... ton petit...

Hortense marqua une pause, comme si elle cherchait le mot juste.

— ... accident, alors tout s'est éclairci!

Elle poussa un profond soupir et secoua la tête.

— Maître Adair dit toujours que, après un accident de vol, il faut un temps fou pour que le Pacteconfiance se renoue entre le dragonnier et sa monture.

— Ah oui? répondit Brianna en grinçant des dents.

— C'est bien connu, dit encore Hortense avant de s'interrompre pour écouter l'annonce suivante.

— C'ÉTAIT FERRIS DE DRAKELODGE, QUI MONTAIT SOLEIL D'OR : IL A EFFECTUÉ LE PARCOURS EN TROIS MINUTES ET DEMIE ET A REÇU DIX POINTS DE PÉNALITÉ. VOICI MAINTENANT FEU D'ORAGE, MONTÉ PAR ERNESTINE, DE LA TARASQUE.

La foule applaudit sans se faire prier.

— Ernestine est une bonne dragonnière, commenta Hortense. Elle te battait souvent, n'est-ce pas?

Il devenait de plus en plus difficile pour Brianna de

garder son calme. Toutefois, elle était résolue à ne pas céder.

— Mais même Ernestine n'arrive pas à la cheville de Cara, reprit Hortense. C'est devenu vraiment impossible de remporter des rosettes d'or maintenant que Cara et Voltefeu font équipe. Tu dois vraiment regretter le bon vieux temps, ajouta-t-elle d'un air de rien, en ricanant.

Elle laissa Brianna se pénétrer de cette idée. Pendant ce temps, un grondement appuyé de la foule signalait l'échec d'Ernestine.

— Dix points de pénalité, assura Hortense. Il ne reste plus à Cara qu'à faire un sans-faute et l'or sera pour elle.

Elle laissa échapper un profond soupir avant de revenir à la charge.

— Cara et Voltefeu… Quelle équipe ! Imbattables ! Cara tient ça de sa mère… Championne des champions, trois fois. Personne d'autre n'avait sa chance contre elle !

Les yeux d'Hortense se plissèrent : elle cherchait à déterminer l'effet de ses paroles sur Brianna. Cette dernière ne pouvait nier qu'elle avait raison : Cara constituerait toujours le plus grand obstacle sur le parcours qui devait la mener à la rosette d'or. Or, si elle ne remportait pas le Championnat de l'île, jamais Galen ne l'accepterait dans sa patrouille.

La cloche sonna la fin du parcours d'Ernestine.

— Dix points de pénalité et un temps de parcours de trois minutes et un quart !

Hortense hocha la tête.

— Qu'est-ce que je te disais ? Nous devrions peut-être aller regarder Cara décrocher la rosette d'or ?

Brianna observait un silence obstiné. La fille du Seigneur de Havremer écouta les applaudissements nourris qui saluaient l'entrée en piste de Cara et de Voltefeu.

— Brianna ? demanda encore Hortense, avant de se raviser. Oh, et puis non… Cela n'a pas d'importance…

— Qu'est-ce qui n'a pas d'importance ? voulut savoir Brianna.

— Rien… Je pensais juste… Non, ce n'est pas important.

— Vas-y, crache le morceau, Hortense ! ordonna Brianna en se tordant les mains.

— Bon, puisque tu insistes… J'étais seulement inquiète à l'idée que tu ne te qualifies pas pour le Championnat de l'île, mais je me suis rappelé qu'il y avait encore deux compétitions, à la Tarasque et à la Vallée. Alors tu as encore le temps d'arranger les choses avec Monty.

— Oui, en effet, répondit Brianna, passablement excédée.

— Et puis sinon, il y aura toujours l'année prochaine…

— Qu'est-ce que tu veux dire ?

— Eh bien, si tu dois faire ton deuil du Championnat cette année, tu pourras toujours tenter ta chance l'an prochain...

Brianna se leva et tout son corps se raidit. Hortense avait fait mouche, et elle le savait.

— Oh, mais que suis-je bête !

L'expression de gêne affectée par Hortense aurait pu lui valoir un prix de comédie.

— J'oubliais que c'est la dernière année pendant laquelle tu peux concourir en tant que « junior », n'est-ce pas ?

Elle marqua une pause, pour laisser à Brianna le temps de prendre toute la mesure de ce qui allait suivre. Le coup de grâce.

— Alors ce serait *teeeeellement* dommage si tu ne te qualifiais pas cette année... parce que cela voudrait dire que jamais, jamais, jamais Galen ne t'accepterait dans sa patrouille...

Brianna se mordit les lèvres pour ne pas éclater en sanglots, autant de tristesse que de rage.

Voyant que son petit discours avait produit l'effet escompté, Hortense se mit à rire.

— Enfin, je suis sûre que tu vas te débrouiller pour régler tes problèmes... Quoi qu'il en soit, je te reverrai. Encore deux compétitions... la prochaine à la Tarasque ! Ha ! Ha ! Ha !

Au moment où Hortense pivotait sur ses talons, un tonnerre d'applaudissements couvrit la voix de l'annonceur.

Un sans-faute ! Un sans-faute et la rosette d'or pour Cara et Voltefeu, de la Vallée des dragons !

Hortense se retourna vers Brianna et lui lança :

— Elle est forte, n'est-ce pas ? Une vraie compétitrice… toujours cette envie de gagner et de ne laisser personne lui bloquer la route. Même pas ses amies…

Et sur ces entrefaites, Hortense agita la main, adressant un sourire narquois à la malheureuse Brianna, qui tremblait d'indignation et de confusion mêlées.

10

— Allez, Brianna ! On fait la course jusqu'à la Vallée des dragons ?

… Une fois achevée la compétition de Drakelodge, Cara aurait préféré profiter de la fête qui allait suivre. En effet, les haras de Brésal rivalisaient d'imagination pour séduire le public qui affluait en masse une fois par an. C'était à qui proposerait les spectacles les plus extraordinaires ou les plats les plus alléchants.

La Vallée des dragons s'enorgueillissait de la cuisine hors pair de Gerda. Lorsqu'on allait assister à la compétition organisée au haras de Huw, on se mettait au régime deux semaines à l'avance. On savait qu'on allait déguster, dévorer, engloutir, engouffrer, se rassasier jusqu'à plus soif. Gerda préparait des banquets somptueux. Les tables croulaient sous le poids des victuailles.

Mais pour ce qui était des divertissements, on ne peut pas dire que Huw forçait la note. Les spectacles de troubadours et de danseurs l'ennuyaient à mourir, aussi craignait-il, s'il en organisait, que les spectateurs ne partent en courant.

Ce n'était pas le cas de Maître Lunn, de Drakelodge, qui présentait toujours les meilleurs bardes et ménestrels de Havremer. Cara attendait avec impatience que les célébrations débutent. Il y aurait aussi des jongleurs, des montreurs de pardes, des acrobates, des illusionnistes et de nombreux stands de jeux, avec des cadeaux à gagner. Bref, ce serait la fête !

Mais quand elle était allée chercher Brianna pour la persuader de participer aux réjouissances, elle avait trouvé son amie complètement déprimée. Elle avait déjà sellé Monty et s'apprêtait à repartir.

— Très bien, avait dit Cara. Dans ce cas, je rentre avec toi. Je ne peux pas te laisser seule dans cet état-là.

— Pas la peine, avait répondu Brianna. Je vais me débrouiller.

Mais Cara avait insisté et Brianna s'était laissé convaincre. De mauvaise grâce.

Pendant le voyage de retour, Cara avait tenté de dérider son amie, mais en vain. À la fin, à bout de patience, elle avait suggéré une course. Elle avait d'abord craint que Brianna ne refuse, mais celle-ci ne se l'était pas fait dire deux fois : aussitôt, elle avait adressé à Cara un sourire carnassier, avant d'agiter ses rênes et de planter ses talons dans les flancs de Monty. La dragonne éperonnée avait soudain accéléré l'allure...

Les deux filles venaient d'arriver en vue de la lande de La Varenne. La tête rentrée dans les épaules pour se protéger du vent, Cara s'écria :

— Allez, Voltefeu ! Montrons-leur ce dont nous sommes capables !

Aussitôt, le dragon partit en piqué, ses grandes ailes fendant l'air. Le vent sifflait aux oreilles de Cara, cependant que les étendues désolées de La Varenne défilaient sous elle comme un tapis animé.

Monty n'était pas en reste : tant qu'on ne lui demandait pas de passer entre des arbres ou des barres trop rapprochés, elle ne demandait qu'à faire la fête, elle aussi. Parvenus à la Cascadine, les dragons volaient aile contre aile à travers les éclaboussures produites par le torrent furieux.

C'est au-dessus des vastes prairies qui s'étalaient aux abords de la Vallée des dragons que Voltefeu passa la vitesse supérieure et se démarqua rapidement de sa poursuivante. Il fit le reste du parcours en tête, à tel point que Cara atterrit triomphalement dans la cour de l'écurie avec une bonne quarantaine de longueurs d'avance sur Brianna.

Au moment où cette dernière se posait à son tour, Cara arracha son casque et ses lunettes de protection, riant aux éclats :

— Je t'ai battue ! Ha ! Ha !

Brianna mit pied à terre, ôta lentement son casque et abaissa ses lunettes de sorte qu'elles pendent autour de son cou. Puis elle se tourna vers Cara avec une expression étrange. Ses lèvres dessinaient un sourire si triste et si crispé qu'on aurait plutôt dit un rictus.

— Cara, lâcha-t-elle avec morgue, faut-il toujours que tu gagnes ?

Elle tourna alors les talons et reconduisit Monty dans son box sans un mot.

— Qu'est-ce qu'elles ont ? demanda Wilf, appuyé sur son balai.

Il avait d'abord regardé Brianna, puis Cara. Les deux filles étaient occupées à nettoyer leurs dragons respectifs, chacune à une extrémité de la cour.

Wony reposa délicatement sa brouette de fumier – en effet, même la bouse de dragon toute fraîche aurait pu lui exploser à la figure si elle la manipulait trop brutalement. Puis elle écarta une mèche de cheveux de ses yeux.

— Je ne sais pas. Elles ne s'adressent plus la parole. C'est comme ça depuis qu'elles sont revenues de Drakelodge.

— Mais pourquoi donc ? persista Wilf. Avant, elles ne faisaient rien l'une sans l'autre, et maintenant, elles ne veulent même plus être voisines à la table du déjeuner.

Mais Wony n'aurait jamais osé leur demander pourquoi… Wilf, lui, n'avait pas ce genre de scrupule. Il voulait en avoir le cœur net. Aussi, l'après-midi suivant, lorsque Cara procédait à l'inventaire du garde-manger, il s'approcha d'elle et lui demanda tout de go :

— Qu'est-ce qui ne va pas, avec Brianna ?

Prise au dépourvu, Cara leva la tête vers l'intrus.

— J'en suis à soixante-treize lagopèdes et quatre-vingt-quatre coqs de bruyère…

Wilf n'était pas homme à baisser les bras sans combattre.

— Je t'ai posé une question, Cara.

— Tout va bien avec Brianna. Et vingt et un pérytons… vingt et un, vingt-deux, vingt-trois…

— Alors pourquoi Brianna ne t'adresse-t-elle plus la parole ?

— Oh, maintenant tu m'as fait perdre le fil et je dois recompter tous les pérytons ! protesta Cara.

— Ne change pas de sujet. Pourquoi Brianna ne t'adresse-t-elle plus la parole ?

Cara poussa un soupir d'exaspération.

— Pourquoi… pourquoi… pourquoi ne vas-tu pas lui poser la question à elle ?

Et elle se remit à son inventaire, avec une obstination qui n'avait d'égale que celle de Wilf.

— Bien, maintenant j'ai cinquante-sept sacs de fourrage… non, cinquante-huit, parce que j'en aperçois un là-bas, caché sous cette pile de sacs vides…

— Alors, je vais poser ma question autrement, persista Wilf. Pourquoi ne lui adresses-tu plus la parole ?

— Qu'est-ce que tu racontes ? Je lui réponds chaque fois qu'elle me parle.

— Mais elle ne te parle plus !

— Je n'y peux rien. Pas ma faute. Combien y avait-il de sacs de fourrage ?

— Je ne sais pas.

— Eh bien, mollasson, regarde ta feuille de papier ! Tu l'as écrit dessus, non ?

Cette fois, elle réussit à clouer le bec du jeune garçon.

— Hein ? Quoi ? Comment ? J'étais censé écrire tout ça ?

Mais Wilf ne se laissa pas démonter pour autant. Il était déterminé à tirer cette affaire au clair et s'en alla soumettre Brianna au même traitement.

Il n'obtint guère plus de réponses. Et au bout du compte, au terme de son enquête menée avec «tact» – selon lui – il n'obtint qu'un piètre résultat : non seulement Cara et Brianna ne se parlaient plus, mais elles n'adressaient plus la parole à Wilf non plus…

Deux jours plus tard, la situation n'avait pas progressé, aussi Wilf eut-il recours à une autre tactique. Après le déjeuner, il se porta volontaire pour la corvée de vaisselle, ce qui étonna tellement Gerda qu'elle dut s'éventer avec son tablier.

— Gerda… ? fit Wilf tout en s'acharnant sur une poêle dans laquelle on avait dû faire cuire de la colle tant elle était difficile à récurer.

— Oui, qu'y a-t-il, mon garrrçon ?

— Tu sais quel est le problème entre Cara et Brianna ?

Gerda plissa les yeux d'un air entendu.

— Moins nous y prrrêterons attention, plus vite elles se rrréconcilieront. Il y a quelque chose que tu ignorrres. Alors, ne t'en mêle pas !

Wilf soupira et reposa la poêle.

— Oh, ne fais pas ta mystérieuse, toi aussi ! Je m'inquiète pour elles et je ne sais pas à qui d'autre en parler. J'ai essayé d'obtenir d'elles qu'elles m'expliquent pourquoi elles étaient fâchées, mais sans succès… J'imagine que ce sont des histoires de filles et que je ne comprendrais pas…

Gerda secoua la tête.

— Non, ce sont des histoires de drrragonnières…

Et de froncer les sourcils.

— Je veux bien t'expliquer, mais rrrécure-moi ces poêles correctement, mon garrrçon !! Pas la peine de te porter volontairrre si c'est pour bâcler ! Hum ! Où en étais-je ? Ah oui… Vois-tu, mon garrrçon, l'an dernier, Brianna était le meilleur espoir de la Vallée des dragons dans la catégorie Junior. Même si elle ne gagnait pas, tout le monde savait qu'elle pouvait battre les autres concurrents si tout se passait bien. Mais quand Cara s'est mise à concourrrir aussi, tout a changé.

— Tu veux dire que Brianna est jalouse de Cara ? ! Gerda roula des yeux de hibou.

— Oui, mais c'est plus compliqué que ça. Si tu t'imagines que Brianna est juste une forrrte tête et une mauvaise perrrdante, tu n'y es pas. Elle se moque de perdre – enfin, pas tout à fait quand même ! – pourvu qu'elle sache qu'elle avait la *possibilité* de gagner. Mais quand elle concourt face à Cara, elle sait qu'elle n'a aucune chance. C'est tout le prrroblème…

— Mais Cara est son amie ?

— Justement, c'est encorrre pirrre. Brianna s'est efforcée tout l'été de ne pas céder à la jalousie. Elle s'en est plusieurs fois ouverrrte à moi. Elle sait que c'est mal, mais elle ne peut pas s'en empêcher. Et même maintenant qu'elle est fâchée avec Cara, elle s'en veut plus à elle-même qu'elle n'en veut à son amie. Pour tout arranger, j'ai entendu dire – et en général, ce que j'entends dire se révèle être vrai – que cette petite peste d'Horrrtense avait jeté de l'huile sur le feu.

Wilf resta silencieux un instant, le temps pour lui de « digérer » tout ce qu'il venait d'apprendre.

— En plus, Brianna et Monty volent très mal en ce moment, ce qui ne doit pas aider, commenta-t-il, songeur.

Il marqua une autre pause et demanda :

— C'est si important pour elle, de gagner ?

Gerda leva les bras au ciel.

— Eh oui !

— Pourquoi donc ?

— À cause de cet imbécile de Galen, pardi !

Elle frappa le sol de ses gigantesques pieds, si fort que la maison trembla sur ses fondations.

— Voilà ! Tu as rrréussi ! Tu me fais dirrre du mal de tes aînés ! Mais c'est quand même un imbécile !

— Pourquoi ça ? demanda Wilf, éberlué.

— Parce qu'il a dit à Brianna qu'il ne la laisserait jamais faire partie de son équipe si elle ne remportait pas le Championnat de l'île. Elle sait qu'elle ne peut pas y arriver, et elle n'a qu'une envie : faire parrrtie de la patrrrouille. Et Cara est sur son chemin. Elle l'empêche de réaliser son rêve le plus cher. Et tu te demandes pourquoi ces deux-là sont fâchées ? Réfléchis un peu, mon garrrçon ! Et rrrécure-moi ces poêles !!

Avant que Wilf n'ait le temps d'ouvrir la bouche pour se défendre, la porte s'ouvrit à toute volée et la voix de Madame Hildebrand se fit entendre, semblable à un ouragan déchaîné :

— Cette fois, c'en est âââssez ! Je démissiooonne,

158

et pour de bon ! Gerda, reste-t-il un peu de thé à la mûûûre ?

Il suffit à Wilf d'un regard à la dérobée pour comprendre que Madame Hildebrand était sur le point d'exploser, aussi s'affaira-t-il de nouveau dans l'évier. Gerda leva les yeux au ciel et se leva pesamment.

— Il doit être imbuvable. Je vais en rrrefaire, ça ne prendra qu'une minute.

— Merci, Gerda, répondit Madame Hildebrand en jetant son fouet sur la table avec une telle violence que Wilf rentra la tête dans les épaules, de crainte de recevoir un coup de lanière. Je ne sais pas ce qu'elles ont, mais c'est insupportaaable !

Un coin de son immense tablier enroulé autour de la main, Gerda souleva avec précaution la bouilloire fumante.

— Qui, « elles » ?

— Cara et Briannaaa…

La bouilloire glissa de la main de Gerda et retomba bruyamment sur le feu. La cuisinière et Wilf échangèrent un regard complice.

— Que leur est-il arrivé ? demanda Gerda.

Madame Hildebrand poussa un interminable soupir.

— Mes deux dragonniers vedettes, Caley et Piran, ont dû déclarer forfait et ne pourront donc pas faire partie de l'équipe chargée d'exécuter la paraaade aérienne de l'Écoooole à la Tarasque. Ces deux maladroits se sont heurtés en vol ce matin et leurs deux montuuuures ne pourront pas reprendre l'air avant le rendez-vous de la Taraaasque, et peut-être même pas à temps pour notre propre compétition. Quelle misère !

Gerda versa de l'eau bouillante dans la théière.

— Alors, je suis allée trouver Cara et Briannaaa pour leur dire que je leur offrais la place de Caley et Piran. Eh bien, elles ont eu l'air aussi enchantées que si je leur avais infligé une corvée supplémentaire de nettoyage.

Elle tendit la main vers la tasse que lui proposait une Gerda au visage des mauvais jours.

— Je vous juuure... merci, Gerda... Oh, que c'est chaud ! Je vous juuure que, parfois, je ne sais pas ce qu'elles ont dans la tête !

— Oui, on se le demande, confirma Gerda en regardant Wilf à la dérobée.

Quelques jours plus tard, Wilf et Wony étaient assis au sommet d'une barrière, les pieds dans le ruisseau. Ils observaient Hortense, qui attachait son dragon, à l'extérieur de la forge de Clovis. Cara passait par là, elle aussi, et s'arrêta à leur hauteur.

— Salut ! Qu'est-ce que vous regardez comme ça ?

— Hortense, répondit Wilf. Elle est de retour. Je l'ai vue plusieurs fois ces derniers jours, ajouta-t-il en donnant un coup de pied dans l'eau.

Cara tourna la tête juste à temps pour voir Hortense disparaître à l'intérieur de la forge.

— Oui, j'ai remarqué. Quand elle suivait nos cours,

elle n'était pas là si souvent… Je me demande ce qu'elle mijote. Elle a toujours une bonne excuse : commande de fers, commande de selle… Pourquoi n'envoie-t-elle pas un domestique pour faire ses courses à sa place ?

— Je l'ai vue traîner autour des box, dit encore Wilf. L'autre jour, elle observait Brianna… et je l'ai aussi surprise à t'épier, Cara.

— Moi ? ! s'étonna Cara. Quel intérêt aurait-elle à m'espionner ?

Wilf plissa les yeux et fixa intensément Cara.

— Penses-tu que nous devrions mettre Brianna en garde ?

— Pourquoi ? rétorqua Cara. Peut-être qu'elle est contente de voir Hortense traîner ses guêtres autour d'elle. Si elles veulent être amies, ça ne me regarde pas.

À ces mots, Wony éclata en sanglots. Cara eut un mouvement de recul, ébahie par la réaction de la fillette.

— Wony ! Allons, ne pleure pas ! fit-elle en passant les bras autour des épaules de son amie. Que t'arrive-t-il ? Qu'est-ce qui ne va pas ?

— Ce… ce qui… ce qui ne va pas, balbutia Wony entre deux pleurs, c'est toi… toi et Brianna. Nous éti… étions si heureux avant et maintenant… maintenant tout est horrible… parce que toi… toi et Brianna vous êtes fâchées.

Elle redoubla de sanglots, avant d'ajouter, d'un ton meurtri :

— Et je… je ne sais même pas pourquoi.

— Eh bien, ce n'est pas à moi qu'il faut le demander, lâcha Cara. Depuis que nous sommes rentrées ensemble de Drakelodge, elle me bat froid. Pourtant, j'y serais bien restée, moi, à Drakelodge, je vous le dis. Je l'ai accompagnée uniquement pour qu'elle ne broie pas du noir seule dans son coin et voilà comment elle m'a remerciée ! Tu appelles ça une amie, toi ? Je ne sais vraiment pas quel est son problème !

— Moi, je le sais, fit une petite voix narquoise, dans leur dos.

Hortense avait quitté la forge et, sans un bruit, elle les avait contournés. Cara lui jeta un regard noir.

— On ne t'a rien demandé ! Qu'est-ce que tu fais là ?

— J'ai passé une commande de boucles chez votre ferronnier, je ne vois pas en quoi ça te concerne.

Mais Hortense n'avait pas fait tout ce chemin pour en rester là. Elle dardait un sourire hautain. De toute évidence, elle était venue pour en découdre avec Cara.

— Il est clair que Brianna est jalouse de toi, déclara-t-elle avec emphase. Oui, jalouse ! Et tu sais pourquoi.

Elle attendit un moment que ses paroles fassent leur effet, puis poursuivit :

— Elle déteste le fait que tu gagnes toutes les compétitions.

— Parle pour toi ! intervint Wilf.

Si Hortense avait tenu un fouet, elle lui en aurait

162

sans nul doute décoché un bon coup. Mais elle parvint à se maîtriser.

— Pas la peine d'être agressif, gringalet ! Si je te dis ça, Cara, c'est parce que nous sommes amies, toi et moi...

— Amies ? !

L'effronterie d'Hortense aurait coupé le souffle à n'importe qui !

— C'est si injuste, poursuivit la fille du Seigneur de Havremer, comme si de rien n'était. Tu n'y peux rien, si toi et Voltefeu, vous valez dix fois mieux que Brianna et Monty...

Wilf se leva d'un bond. Gonflant le torse, il vint faire face à Hortense.

— Dis donc, arrête de dire du mal de Brianna. Et puis d'abord, tout ça ne te regarde pas ! Alors, fiche le camp d'ici !

— Ne me parle pas sur ce ton, espèce de... espèce de palefrenier !

Elle dut faire un effort surhumain pour ne pas le gifler. L'heure de la retraite avait sonné.

— C'est bon. Je m'en vais. Mais tu ne pourras pas dire que je ne t'ai pas prévenue, lança-t-elle à Cara. Ce n'est pas agréable d'apprendre que celle qu'on croyait sa meilleure amie complote contre soi.

Et, sans saluer son auditoire, Hortense reprit la direction de la forge, son menton en galoche pointé vers le ciel.

— Qu'est-ce qu'elle a voulu dire par là ? demanda Cara en la suivant des yeux.

— Oh, par pitié ! s'insurgea Wilf. Ne me dis pas que tu accordes la moindre importance aux inventions d'Hortense.

Cara secoua vivement la tête.

— Non, non. Bien sûr que non…

Mais dans les jours qui suivirent, les paroles d'Hortense revinrent hanter Cara. Elle les entendait sonner à ses oreilles chaque fois que Brianna ne prêtait pas attention à elle, s'asseyait loin d'elle à table ou allait se promener seule avec Monty.

Un jour qu'elle se trouvait avec Voltefeu dans son box, elle se confia à lui.

— Je suis vraiment malheureuse. Brianna est si désagréable avec moi. Je ne peux rien lui dire ! Elle me reproche mes erreurs, mais elle en commet aussi, me semble-t-il.

Voltefeu poussa un petit mugissement consolateur.

— Je n'ai rien fait de mal, reprit-elle, sentant les larmes lui monter aux yeux. Si elle est assez bête pour être jalouse de moi parce que toi et moi gagnons des concours et pas elle avec Monty, eh bien tant pis ! Je n'y peux rien !

Elle passa les bras autour du cou grumeleux du dragon et posa la joue sur ses écailles toutes fraîches.

— Tu es le seul à qui je puisse parler, Voltefeu. Ma

meilleure amie m'ignore, Wilf m'en veut, Wony aussi ! C'est désespérant.

Et elle donna libre cours à un flot de larmes qui ruisselèrent le long de l'interminable cou de Voltefeu.

À mesure que le temps passait, les disputes, les silences pleins d'amertume et les regards froids étaient de plus en plus fréquents. Tant et si bien que, tout comme Brianna, Cara s'éloignait le plus possible de la Vallée des dragons.

Un beau jour, elle avait décidé d'aller se promener à la mer et avait conduit Voltefeu jusqu'à une plage isolée, au bord de la Baie du Peuple des mers, où personne n'osait s'aventurer en raison des rochers traîtres qui s'y dissimulaient et de ses falaises inaccessibles.

Le soleil brillait de tous ses feux dans un ciel sans nuage et la mer redescendait, au rythme des rouleaux qui venaient mourir sur le sable, dans un fracas dont l'écho se répercutait alentour.

Cara se sentait un peu lasse, aussi mit-elle pied à terre avec l'intention de s'allonger un moment dans la chaleur de l'après-midi.

Elle venait juste de détacher la sangle ventrale de Voltefeu, pour qu'il puisse aller faire trempette sans que le cuir s'abîme, quand elle entendit un cri de détresse, non loin. Elle lâcha la boucle et regarda dans toutes les directions, scrutant l'horizon. Voltefeu lui-même se démanchait le cou pour déterminer l'origine des appels désespérés.

C'est alors que Cara découvrit, au milieu des rouleaux, ce qui ressemblait à un jeune garçon, qui agitait les bras énergiquement.

— Viens, Voltefeu ! dit Cara en rattachant la boucle. Il se noie ! Il n'y a pas une minute à perdre !

11

Cara obtint de Voltefeu qu'il fasse du surplace juste au-dessus de l'endroit où se trouvait l'enfant. Le mouvement des ailes du dragon provoquait une sorte de courant descendant qui créait des rides à la surface des vagues.

— Ne t'inquiète pas ! lança Cara à l'adresse du jeune garçon. Nous allons te tirer de là !

C'est alors qu'elle se rendit compte que le garçon en question ne poussait pas des cris de détresse : il s'exprimait avec des mots, qui semblaient avoir un sens bien précis. Il avait une voix très aiguë et un drôle d'accent, mais en se concentrant davantage, elle parvint à le comprendre.

— Va-t'en, fille humaine ! s'égosillait-il. Laisse-le tranquille !

Déconcertée, Cara se demanda pourquoi il l'avait appelée « fille humaine » ? Il avait lui-même une forme très humaine…

Elle eut soudain une illumination : le jeune garçon ne se débattait pas avec les flots. Il était tout simplement furieux et exprimait sa rage en frappant les vagues. Ce qui ne pouvait vouloir dire qu'une chose, pour le plus grand bonheur de Cara :

— Tu appartiens au Peuple des mers !

Le jeune garçon brandit un poing frénétique dans sa direction.

— Non, tu ne l'auras pas !

Cara eut beau regarder tout autour d'elle, elle ne voyait rien d'autre que le mystérieux noyé, qui de surcroît n'en était même pas un.

— Qu'est-ce que je n'aurai pas ? interrogea-t-elle.

— Mon capricorne ! Tu as atterri juste à côté de lui. Ne fais pas semblant ! Tu n'as qu'une envie, c'est de l'emporter avec toi. Va-t'en ! Va-t'en !

Cara était très intriguée. Elle n'avait jamais vu de capricorne, mais elle en avait entendu parler. Il s'agissait d'une créature à tête de chèvre et à queue de poisson dont le Peuple des mers pratiquait l'élevage, de la même manière que les êtres humains élevaient des moutons.

Mais les capricornes ne sortaient jamais de l'eau. Alors comment avait-elle pu se poser juste à côté du sien ?

À moins que…

Cara agita les rênes et ordonna à Voltefeu de se remettre à voler normalement. Celui-ci poussa un grognement de soulagement. Comme tous les dragons, il trouvait le surplace particulièrement épuisant. Inclinant les ailes, il partit en vol plané et Cara le dirigea vers la plage.

Le jeune garçon émit alors un cri de rage suraigu avant de jaillir hors de l'eau tel un marsouin et de plonger de nouveau, pour se lancer à la poursuite de la fille humaine.

Cara n'eut guère de mal à localiser le capricorne égaré. Il avait la taille d'un dauphin, avec des cornes incurvées et noueuses, et des yeux étranges, bridés, de chèvre. La partie supérieure de son corps était couverte de poils blancs et lisses comme ceux d'un phoque et la partie inférieure d'écailles luisantes. Sa queue battait l'eau furieusement, envoyant des gerbes d'écume tout autour de la minuscule anfractuosité à l'intérieur de laquelle il s'était réfugié, au pied d'un rocher, tout près de l'endroit où Cara et Voltefeu s'étaient posés quelques minutes plus tôt.

Il avait dû s'y dissimuler en les entendant arriver. Si son propriétaire n'avait pas été pris de panique et n'avait pas attiré l'attention de Cara, celle-ci n'aurait sans doute jamais découvert la présence de l'animal.

Sans doute parce qu'il avait reconnu la voix de son maître, le capricorne bêlait à fendre l'âme.

Cara mit pied à terre et sauta de rocher en rocher pour se rapprocher de lui. Elle dut traverser une mare dont l'eau lui arrivait à la taille. Pour rassurer la créature, elle se mit à parler tout doucement, comme elle le faisait lorsqu'elle souhaitait approcher des dragonneaux.

— N'aie pas peur, mon tout petit, je ne te veux pas de mal.

Mais le « tout petit » n'était pas d'humeur à fraterniser avec une « fille humaine ». Il fronça les yeux et, sans prévenir, se jeta dans l'eau et lui assena un solide coup de cornes qui la fit tomber à la renverse avec un plouf ! retentissant.

— Laisse-le tranquille, espèce de requine ! Tu lui fais mal !

Le jeune garçon continuait de frapper les vagues de ses petits bras, disparaissant de temps à autre entre deux rouleaux.

— Ce n'est pas moi qui lui fais mal ! C'est plutôt le contraire ! protesta Cara en se relevant.

Elle s'aperçut alors que le capricorne terrifié s'apprêtait à charger de nouveau. Heureusement, elle avait retenu quelques leçons dans la Couveuse, elle qui avait passé plusieurs années de sa vie à dompter des dragonneaux impétueux. Lorsque la bête fonça sur elle, elle fit un mouvement de côté et se tourna aussitôt pour enrouler ses bras au niveau de son abdomen.

— Je t'ai eu ! s'exclama-t-elle.

Le jeune berger du Peuple des mers poussa alors un hurlement déchirant, persuadé que la fille humaine venait de lui enlever son bien le plus précieux.

Toutefois, Cara fit rapidement deux constatations : le capricorne n'était pas disposé à se calmer. Il gigotait, trépignait et se débattait en bêlant avec une telle débauche d'énergie que Cara ne pourrait pas le maintenir longtemps dans cette position. Ensuite, il était beaucoup trop lourd pour qu'elle envisage de le porter jusqu'à la plage.

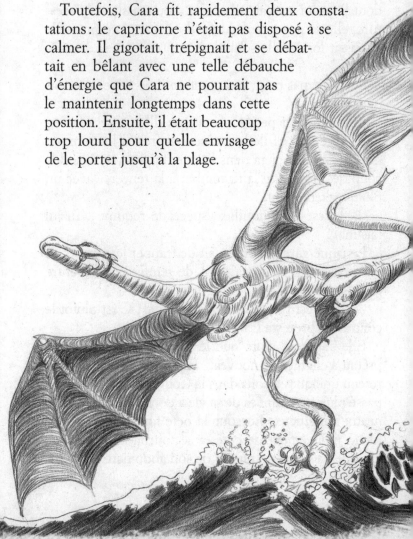

Elle le relâcha donc, sortit de l'eau puis retourna en courant jusqu'à l'endroit où les vagues venaient lécher le sable. Arrondissant les mains devant sa bouche, elle cria :

— Désolée, il est trop lourd. Je vais aller chercher de l'aide.

Le visage du jeune garçon des mers était déformé par la rage.

— C'est ça, ramène d'autres tueurs humains ! Tu n'as qu'à emporter tout mon troupeau ! Sauvage ! Barbare !

— Mais enfin, je ne suis pas en train d'essayer de tuer ton stupide capricorne ! J'essaie de l'aider… Je vais aller chercher une corde pour le tirer de là et…

Mais le garçon ne l'écoutait pas. Il ne la regardait plus. Il s'intéressait à quelque chose d'autre, derrière elle.

— Je le savais ! s'écria-t-il. Je le savais ! Monstrueuse fille humaine. Ton dragon du ciel va manger mon capricorne !

Il brandit de nouveau un poing vengeur en agitant la queue avec une frénésie redoublée.

Cara pivota sur ses talons. Elle s'aperçut alors que Voltefeu, lassé qu'on ne lui propose pas de participer aux réjouissances, s'était envolé et faisait du surplace au-dessus de la minuscule mare au fond de laquelle se tortillait toujours le capricorne. Bouche bée, elle le vit

se rapprocher de la surface et se saisir de la créature entre ses gigantesques serres.

— Voleurs ! Pirates ! Vampires ! s'époumonait le berger.

— Ne t'inquiète pas ! lui répondit Cara, quasiment aphone à force de crier, elle aussi. Il ne va pas le manger !

En vérité, elle n'était pas certaine de ce qu'elle venait d'affirmer… Les dragons n'étaient pas censés dévorer les animaux domestiqués, mais parfois la tentation de déguster un mouton ou une chèvre était trop grande et les dragons y cédaient, quitte à essuyer ensuite les reproches de leur maître.

Aussi fut-elle grandement soulagée lorsque Voltefeu prit la direction de la mer et s'en alla reposer délicatement la créature dans son élément. Indemne, le capricorne s'éloigna en nageant aussi vite qu'il le pouvait. Plusieurs têtes de chèvre apparurent alors à la surface de l'eau et le capricorne égaré se hâta de les rejoindre, au milieu d'un concert de bêlements particulièrement discordants.

— Bravo, Voltefeu ! fit Cara en agitant une main reconnaissante.

Le dragon lui répondit par un gazouillis harmonieux et alla se poser sur un rocher. Depuis ce promontoire, il interrogea sa maîtresse du regard, afin qu'elle lui indique quelle autre distraction elle avait prévue pour le tenir amusé.

Cara avança vers le jeune garçon, qui semblait désormais beaucoup plus calme, même si de l'incertitude se lisait encore dans son regard. Il la laissa approcher mais, méfiant, il se tenait prêt à s'enfuir si jamais la fille humaine s'avisait de trahir sa confiance naissante.

— Tu as dit la vérité, dut-il admettre. Tu as sauvé mon capricorne.

L'espace d'un instant, il parut décontenancé. Puis il adressa un hochement de tête à Cara et, sans la quitter des yeux :

— Merci, dit-il du bout des lèvres.

Cara lui sourit en retour.

— C'est Voltefeu qui l'a sauvé, pas moi.

Le jeune garçon se tourna vers le dragon. Il battit de la queue de sorte que la partie supérieure de son corps émerge de l'eau, puis s'inclina devant lui.

— Merci, ami dragon du ciel.

Sous les yeux écarquillés de Cara, Voltefeu inclina la tête à son tour pour rendre la politesse à son nouvel ami des mers. Cara éclata de rire et applaudit cette prouesse.

Le garçon se tourna de nouveau vers Cara.

— Encore une fois, je te remercie. Si j'avais perdu le capricorne, mon père aurait été très en colère.

Il était sur le point de s'éloigner, il fallait le retenir.

— Attends !

Cara avait toujours voulu rencontrer un représentant du Peuple des mers. Elle avait tant de questions à lui poser.

Le jeune garçon s'arrêta net, attendant poliment qu'elle veuille bien poursuivre. Cara lui posa la première question qui lui venait :

— Comment t'appelles-tu ?

Le berger hésita un instant, puis lui sourit.

— Je m'appelle Ronan.

— Moi, c'est Cara. Et lui, c'est Voltefeu.

Comme Ronan restait silencieux, Cara s'empressa de trouver une autre question à lui poser.

— Qu'est-ce que tu fais dans ces parages ?

— Pourquoi ne devrais-je pas être ici ?

Ronan écarta les mains, comme s'il voulait embrasser la mer entière.

— C'est la Baie du Peuple des mers, annonça-t-il avec aplomb.

Cara rougit jusqu'aux oreilles.

— Oui, bien sûr, suis-je bête ! C'est ton domaine. Ce que je voulais dire, c'est… comment se fait-il que ton capricorne se soit ainsi égaré ?

Il lui sembla que Ronan se détendait petit à petit.

— Je faisais paître mon troupeau près de la plage, expliqua-t-il. Au large, il y a des lions de mer et des phoques-léopards, qui chassent les capricornes.

Le regard de Cara se porta aussitôt vers l'horizon. Elle se demandait à quoi pouvaient bien ressembler des phoques-léopards et s'ils étaient aussi effrayants que les pardes qui hantaient les terres septentrionales de Havremer.

— Parfois, continua Ronan, les jeunes capricornes nagent trop loin, en quête des algues qui sont les plus goûteuses.

— Mais s'ils sont pris au piège dans une mare, comme le tien, tout à l'heure, pourquoi ne pas juste attendre que la mer remonte ? Il t'aurait rejoint en nageant, non ?

Ronan hocha gravement la tête.

— Parfois, c'est possible. Mais parfois, quand la mer remonte, il est trop tard. Si les humains en bateau les trouvent, ils les tuent.

— Tu veux parler des pêcheurs ? soupira Cara. Je sais qu'ils ne vous aiment pas, en effet.

— Et nous ne les aimons pas non plus ! s'enflamma Ronan. Leurs filets prennent au piège nos capricornes, nos vaches de mer et d'autres créatures sauvages comme les dauphins et les marsouins qui ne leur font aucun mal.

Il s'interrompit, regrettant de s'être ainsi emporté.

— Mais d'autres dangers guettent un animal égaré, expliqua-t-il d'une voix sombre. Il y a des animaux qui viennent des terres, ils ont des yeux de feu, ce sont des créatures à quatre pattes avec des pointes dans le dos…

— Des chiens de feu et des hurleurs, répondit Cara en frissonnant. Ils attaquent nos animaux aussi. Ils s'en prennent même aux dragons, s'ils sont blessés.

Ronan contemplait Cara avec intensité.

— Et parfois, ajouta-t-il, vos dragons du ciel emportent nos bêtes.

Cara secoua la tête.

— Ce n'est pas possible. Les dragons ne font pas de mal aux capricornes : ils chassent les pérytons, oui, et les sangliers, et aussi les calilévriers. Mais je n'ai jamais entendu parler d'un dragon qui chasserait le capricorne.

— Mais c'est la vérité, assura Ronan en serrant les poings. Je les ai vus, de mes yeux vus ! Et ils ne s'attaquent pas qu'aux capricornes égarés. Ils les chassent jusqu'en mer, au cœur de nos troupeaux, avec des arcs et des lances.

— Pas nos dragons ! protesta Cara, piquée au vif par cette accusation.

Puis elle se ravisa.

— En tout cas, pas les dragonniers de ma Vallée…

Bien sûr, le pauvre Ronan ignorait que Brésal comptait bien des haras différents. Pour ce qu'elle en savait, certains Maîtres autorisaient peut-être leurs chasseurs à faire la guerre au Peuple des mers, mais jamais Huw n'aurait toléré pareil comportement.

— Je suis désolée, dit-elle avec humilité. Je ne veux pas me disputer avec toi. C'est juste que jamais mon père ne laisserait qui que ce soit chasser ton troupeau.

Le hochement de tête circonspect de Ronan indiqua qu'il acceptait cette déclaration… sans pour autant

178

croire sur parole la fille humaine. Cara décida de changer de sujet.

— Ce doit être un monde étrange que le tien, dit-elle. Je veux dire, un monde sans oiseaux, sans arbres, sans fleurs, sans herbe.

— Il te paraîtrait bien étrange, sans doute, répondit Ronan avec solennité. Mais vous, vous avez des dragons du ciel, n'est-ce pas ? Eh bien, nous, nous avons nos dragons de mer. Nous avons des poissons, qui nagent dans l'eau comme vos oiseaux se déplacent dans les airs, et nous avons aussi des oiseaux comme les vôtres, ceux que vous appelez puffins, cormorans, fous… Ils arrivent à nager sous l'eau pour attraper des poissons et s'en nourrir, même s'ils n'y restent pas longtemps… Et nous avons des forêts de varech et des jardins de corail… À nos yeux, notre monde est aussi riche et varié que le vôtre… aux vôtres !

— J'en suis sûre, acquiesça gentiment Cara, même si elle imaginait mal comment le royaume du Peuple des mers pourrait être aussi beau et merveilleux que les Îles de Brésal.

Mais surtout, une question la taraudait.

— J'espère que tu ne vas pas me trouver impertinente, mais je suis surprise que tu connaisses aussi bien notre langue. Vous la parlez entre vous ?

Ronan sourit de toutes ses dents, dont certaines étaient gâtées.

— Non, nous possédons notre propre langue.

De plus en plus intriguée, Cara voulut en savoir davantage.

— À quoi ressemble-t-elle ?

— Eh bien… répondit Ronan en réfléchissant. Par exemple, notre mot pour la mer est « mor ».

— Jusque-là, ce n'est pas très différent, remarqua Cara.

Ronan pointa le doigt vers le rocher au sommet duquel Voltefeu attendait toujours que Cara lui désigne son prochain terrain de jeux.

— Oui, mais ce que vous appelez des vagues, nous appelons ça thonn.

— Thonn… répéta Cara, songeuse.

— Et la terre, nous l'appelons tir. Alors, le nom que nous donnons à notre univers est Tir Fo Thonn : la Terre au-dessous des vagues.

Les sonorités produites par Ronan ressemblaient au bruit de la mer elle-même quand elle vient clapoter contre les rochers.

— Tu parles très bien notre langue, fit observer Cara avec envie. Mais j'ignore tout de la tienne.

— C'est parce que nous sommes au contact de ceux que tu appelles « pêcheurs » depuis de nombreuses années. Nos rapports avec eux ont beau être très mauvais, j'ai appris ta langue à l'école.

— Je ne savais pas que le Peuple des mers avait des écoles ! s'exclama Cara.

Ronan haussa les sourcils, qu'il avait très velus.

— Bien sûr que nous en avons. Les bancs, ça nous connaît ! Qu'ils soient de poissons ou d'école !

Perplexe, Cara plissa les yeux. Les leçons de son professeur d'animaulogie lui revinrent soudain en mémoire. C'est lui qui lui avait enseigné qu'on dit un troupeau de moutons, mais une horde de pardes, une bande de quines, une meute de chiens de feu, ou encore… un banc de poissons.

Soudain, elle comprit que Ronan, qui conservait le plus grand sérieux, venait de faire… un jeu de mots. Pas très réussi, certes, mais Cara ne put s'empêcher de lui décocher un large sourire en guise d'appréciation.

— Les bancs de l'école et les bancs de poissons, hein ?

Ronan pouffa de rire.

— Ha ! Ha ! Comme tu es sérieuse, Cara. Ha ! Ha !

La fillette se garda bien de faire la moindre remarque au sujet de la constante solennité du jeune berger.

Leur conversation fut soudain interrompue par un mugissement d'alerte poussé par Voltefeu depuis son poste d'observation. Ronan leva les yeux et, aussitôt, son visage se creusa de grosses rides d'inquiétude.

— Les dragons arrivent. Ils veulent chasser mon troupeau !

Il pointa un doigt accusateur en direction de Cara.

— J'avais raison ! Tu fais partie de leur bande ! Menteuse ! Traîtresse ! Tu as prétendu m'aider et puis tu m'as fait rester ici à bavarder avec toi pour que je ne puisse pas aller défendre mes capricornes !

Ses yeux lançaient des éclairs de fureur.

Atterrée, Cara secouait la tête avec énergie.

— Non, je t'assure…

Mais Ronan avait déjà plongé dans les profondeurs des rouleaux. Quelques secondes plus tard, une créature étrange jaillit des flots. Sa tête et son corps ressemblaient un peu à ceux d'un dragon, mais il était jaune vif et strié de bandes blanches. Il possédait des membres énormes de couleur verdâtre, ni des pattes, ni des ailes ni même des nageoires mais comme un mélange des trois, de la forme d'algues onduleuses. Ce ne pouvait être qu'un dragon de mer. Sous le regard incrédule de Cara, Ronan sortit à son tour de l'eau et prit place sur le dos du dragon. La créature produisit un drôle de cri, semblable au son d'une bulle qui éclaterait, et s'enfonça de nouveau sous la surface de l'eau.

Un moment après, le jeune garçon émergea sur sa monture, bien plus loin vers le large. Il décrivit un arc de cercle majestueux dans les airs, avant de replonger pour aller protéger son troupeau.

Car il ne faisait aucun doute que les capricornes couraient un grand danger. Au-dessus de la tête de Cara, quatre dragons venaient de passer à vive allure, dont le battement des ailes créait un immense appel d'air.

En tête de ce vol de chasseurs se trouvait une dragonnière qu'elle ne connais-

sait que trop bien : une fille de son âge, vêtue
d'une tenue de cuir impeccable qui luisait sous
le soleil.

Son expression d'ordinaire hautaine avait cédé la
place à celle d'un hurleur : lèvres retroussées décou-
vrant des dents de carnassière, des éclairs dans les
yeux, un rictus avide.

Pourtant, Cara l'avait reconnue instantanément.

— J'aurais dû m'en douter, gronda-t-elle, la
poitrine soulevée par une montée de colère. Les
quatre dragons filaient vers l'horizon à une telle
vitesse qu'ils ne tarderaient pas à rejoindre Ronan
et son troupeau.

— Hortense… encore elle !

12

— Voltefeu !

Cara reprit la direction de la plage, en se frayant un chemin aussi rapidement que possible à travers la mare. Dans son empressement, elle avait le sentiment que l'eau s'était soudain transformée en sables mouvants et qu'elle ne parviendrait jamais à s'en extraire. Elle la balayait devant elle de ses mains, ce qui avait pour effet de produire une pluie de gouttelettes scintillantes, semblables à de grandes ailes argentées traversées par un arc-en-ciel.

— Voltefeu ! appela-t-elle de nouveau, car le dragon était resté perché sur son rocher.

L'animal déploya ses ailes et vint se poser juste à côté de Cara, encore dans l'eau, à quelque distance de la plage. Avec l'aide de ses rênes, elle se hissa sur la selle.

— Allez, Voltefeu ! Il n'y a pas une minute à perdre. Va leur barrer la route !

Dans un éclaboussement rageur, le dragon se propulsa vers le ciel en poussant un mugissement semblable au son d'un cor de chasse. Cara attacha sa ceinture de sécurité. Elle ne sentait pas la froidure du vent sur ses vêtements mouillés. Elle n'avait qu'une idée en tête : rattraper sa rivale haïe et l'empêcher de brutaliser le troupeau de Ronan, à tout prix.

Pendant ce temps, Hortense venait de faire signe à son équipe de rebrousser chemin afin de ramener les capricornes vers les eaux moins profondes de la baie. Ils seraient ainsi plus faciles à capturer.

— Sa tactique est très au point. Visiblement, elle a l'habitude de ce genre d'expédition, constata Cara avec amertume.

Mais cette manœuvre présentait un avantage : elle donnerait à Cara le temps de s'interposer devant les dragons de la Tarasque.

À mesure qu'elle se rapprochait des braconniers partis chasser sur le territoire du Peuple des mers, elle distinguait de plus en plus clairement leurs paroles.

— Les voilà ! fit une voix féminine.

— J'en aperçois un bien gras ! lança une autre.

— Tari-tara ! fit une troisième.

Ce hourvari fut suivi de piaillements et de gloussements grotesques. Cara serra les dents : ce n'était qu'un jeu pour ces sauvages…

Concentrés sur leurs proies, les chasseurs emmenés par Hortense n'avaient pas repéré Voltefeu et sa dragonnière, qui fonçaient pourtant droit sur eux. Quelle ne fut donc pas la surprise d'Hortense quand, juste au moment où elle s'apprêtait à fondre sur les capricornes pris de panique, elle se trouva nez à nez avec sa meilleure ennemie.

Elle tira sur ses rênes de toutes ses forces. Les membres de son équipe firent de même.

— Ôte-toi de mon chemin, Cara ! Espèce de folle !

— Pas question, répliqua Cara sur le même ton. Si tu veux attaquer les capricornes, il faudra d'abord m'éliminer !

Jurant comme un charretier, Hortense tenta d'abord de contourner Cara. Mais celle-ci avait prévu le coup. Voltefeu aussi, qui fit un mouvement de côté pour lui barrer la route.

Hortense fit deux autres tentatives, pas plus fructueuses que la première. Nuage d'argent n'était pas aussi vif que Voltefeu, loin de là. Au comble de l'agacement, la fille du Seigneur de Havremer fit demi-tour, entraînant les autres dans son sillage.

Bien que la moitié de leur visage soit masquée par les lunettes de protection, Cara pensa avoir reconnu certaines des « courtisanes » habituelles de la « princesse Hortense », notamment deux jeunes dragonnières des écuries privées de Lord Torin, qui en étaient à leur première année au niveau intermédiaire. On les trouvait en général partout où Hortense tenait salon, occupées

à flatter sa vanité et à rire de ses moindres plaisante-
ries.

Au signal d'Hortense, elles échangèrent des regards
complices et toutes foncèrent comme un seul homme
droit sur Cara. Celle-ci les attendait, sans broncher.
Pourtant, les dragons – parmi lesquels un Crête de feu
et un Baléno – arrivaient à pleine vitesse.

Parvenus face à elle, ils inspirèrent de toutes leurs
forces, s'arc-boutèrent et chacun cracha de longues
flammes en guise de mise en garde.

Cara fut complètement prise au dépourvu par cet
assaut. Les dragons ne crachaient le feu que pour
montrer à leurs congénères qui était le patron, jamais
contre des dragons sur lesquels se trouvaient des êtres
humains. C'était contraire à toutes les règles en vigueur
dans la dragonnerie.

Mais les dragons de la Tarasque crachèrent de nouvelles flammes. Cara n'eut que le temps de baisser la
tête pour ne pas avoir le visage roussi.

« Tu veux la guerre, ma fille, songea Cara, eh bien tu
auras la guerre ! »

Profitant de ce que les dragonnières ennemies étaient
momentanément aveuglées par les flammes et la fumée
produites par leur propre monture, Cara se glissa entre
elles, sentant la chaleur des flammes lui lécher le corps.
Puis elle tira fortement sur les rênes, pour amener Voltefeu à effectuer une boucle à la verticale.

— Donne-leur une bonne leçon, Voltefeu !

La manœuvre était réalisée trop rapidement pour

190

que les jeunes dragonnières suivent le mouvement. Elles regardaient autour d'elles avec une consternation presque comique, se demandant où avait bien pu passer le dragon qui se trouvait face à elles quelques secondes plus tôt. Pendant ce temps, Voltefeu termina sa boucle et vint se replacer devant elles, ouvrant largement la gueule.

On entendit un rugissement féroce, on sentit une grosse bouffée de chaleur et on fut aveuglé par un éclair éblouissant. Les deux dragonnières les plus jeunes poussèrent un hurlement de terreur en se protégeant le visage de leurs mains gantées. Leurs dragons partirent à reculons, battant des ailes à toute force pour échapper à la morsure des flammes. Puis ils plongèrent en piqué et s'enfuirent à tire-d'aile.

Cara les contempla avec un sourire narquois. Personne ne crachait mieux le feu que les Crête d'or. Restaient Hortense et la quatrième dragonnière. Cara vint tranquillement se placer entre elles et le troupeau de capricornes. Hortense donna le signe de l'attaque mais la quatrième dragonnière secoua la tête, refusant d'obtempérer.

Hortense se tourna alors vers Cara avec une expression de colère. Elle étendit un bras à l'horizontale, la paume de sa main bien à plat et un pouce replié au-dessous : le signe utilisé par les dragonniers pour ouvrir le dialogue. Puis elle pointa un doigt en direction de la plage.

Cara pointa elle aussi un doigt en signe d'acquiescement, mais elle posa une main contre sa poitrine et pointa de nouveau un doigt, pour faire savoir à Hortense qu'elle préférait la suivre. Mécontente, Hortense tira brutalement sur les rênes de Nuage d'argent et le dragon s'envola vers la plage.

Dès que Voltefeu eut atterri, Cara sauta dans le sable et se précipita vers Hortense, restée en selle, qui la toisait.

— Dégage, Hortense !

— Quel langage ! railla Hortense. Tu n'auras jamais le premier prix de bonnes manières…

— Tu n'as rien à faire ici, aboya Cara. La Baie du Peuple des mers ne fait pas partie du territoire de chasse de la Tarasque.

— Nous ne nous intéressons pas aux créatures squelettiques qui hantent les landes désolées de ton propre territoire, Cara. Estime-t'en heureuse ! Par contre, la mer appartient à tout le monde.

Hortense se tourna vers ses compagnes, qui se remettaient péniblement de leurs émotions, pour obtenir de leur part confirmation de ses dires. Elles se forcèrent à ricaner, mais sans grande conviction.

— Tu as raison, Hortense.

— Montre-lui, Hortense !

La quatrième dragonnière resta muette, si bien qu'elle attira l'attention de Cara. Pour la première fois, elle la voyait de près et il lui sembla qu'elle la reconnaissait. C'était… mais oui, bien sûr !

192

Ernestine…

Cette dernière affecta son détachement coutumier.

Hortense revint à la charge.

— Tu n'as aucun droit de nous empêcher d'attraper nos proies. Pour qui te prends-tu ?

— J'en ai tout à fait le droit, contra Cara, dans la mesure où ces proies appartiennent à quelqu'un d'autre.

Hortense l'incendia du regard.

— Ces poissons-chèvres ? Je voudrais bien savoir à qui ils appartiennent ?

— Ce sont des capricornes et ils appartiennent à Ronan.

— Et qui est ce Ronan ? Un petit crabe dont tu t'es entichée, avec des cornes à la place de pinces ? railla Hortense.

Cara répéta bien haut, en détachant chacune de ses syllabes, que les capricornes appartenaient à Ronan et au Peuple des mers.

— Le Peuple des mers ? s'exclama Hortense, feignant la stupéfaction.

Puis elle se mit à rire, d'un rire de hyène, imitée par les deux plus jeunes dragonnières.

— C'est vraiment à se tordre ! Moi qui croyais que tu ne pouvais pas tomber plus bas, voici que tu cours – pardon que tu nages – après un monstre avec une queue de poisson.

Cara préféra ne rien répondre, remisant au placard,

pour une fois, sa fierté blessée. Elle avait plus important à défendre.

— Le troupeau appartient à Ronan, un point c'est…

— Le troupeau ?! répéta Hortense en grimaçant.

Puis son visage se durcit.

— C'est bon, Cara. Cette petite farce a assez duré. Le Peuple des mers n'est qu'une bande de sauvages, de barbares. Il n'ont ni troupeaux, ni hordes, ni droits. Ces créatures sont là pour qu'on les chasse et nous allons les chasser. Maintenant… dégage, comme tu dis si bien !

— Non.

— Hortense !

Ernestine venait d'ouvrir la bouche pour la première fois.

— Nous ne voulons pas d'histoire. Nous ferions peut-être mieux de demander à ton père ce qu'il en pense avant de…

Hortense se tourna vers elle, comme montée sur ressort.

— Mon père pense la même chose que moi !

Les joues d'Ernestine rosirent légèrement, mais elle ne broncha pas.

— Nous avons parfaitement le droit de chasser ces bêtes, insista Hortense et elle n'a aucunement le droit de nous en empêcher.

— À tort ou à raison, je vais vous empêcher, dit Cara.

— Seule contre quatre ? J'en doute, lâcha Hortense, le visage déformé par la haine. Pour la dernière fois, écarte-toi de mon chemin, la petite sirène !

— Non, toi, rentre à la Tarasque. Sinon, il t'en cuira…

Cette menace proférée avec toute l'autorité voulue, Cara retourna auprès de Voltefeu et remonta en selle. De son côté, Hortense fit signe à ses amies d'avancer. Les dragons firent un pas en avant…, puis deux…, puis trois…

Voltefeu contemplait Hortense et sa bande avec des yeux de chiens de feu. Il n'attendait qu'un signe pour ranimer sa flamme. Au fond de sa gorge, une boule de feu grossissait déjà. Il sentit alors une légère pression appliquée sur ses flancs.

Soudain, c'est un déluge de flammes qui s'abattit sur la plage. Le sable prit d'abord l'allure de lave en fusion, puis, au contact de l'air, il se solidifia pour ressembler à du verre fondu.

Cara tapota le cou du dragon, songeant qu'il excellait désormais dans cet exercice.

Impossible de déterminer si Hortense et ses amies désiraient ou non poursuivre la confrontation, car leurs montures, elles, en avaient décidé autrement. Affolés, mugissant telles des cornes de brume, les dragons échaudés filèrent sans demander leur reste.

Seuls Ernestine et son dragon n'avaient pas bougé. La dragonnière de la Tarasque regarda longuement Cara, avant de porter la pointe de son fouet sur son casque,

en signe de respect. Le geste était-il
ironique ou sincère, Cara n'aurait su le
dire. Puis Ernestine décolla et s'en alla
retrouver ses compagnons.

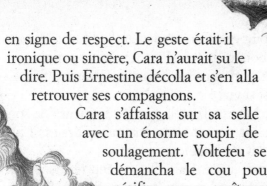

Cara s'affaissa sur sa selle
avec un énorme soupir de
soulagement. Voltefeu se
démancha le cou pour
vérifier que sa maîtresse
allait bien. Puis son
regard se porta vers la
mer.

Au bout d'un
moment, il se mit à
produire une étrange
mélodie. Cara leva
les yeux et aperçut
une chevelure épaisse
qui flottait à la sur-
face, non loin d'un
enchevêtrement de
rochers.

Elle agita les rênes et
Voltefeu alla docilement
se poser sur l'un d'entre eux.
Cara mit pied à terre pour aller y
voir de plus près.

Une tête familière émergea bientôt.
Ronan toussa et cracha pendant quelques ins-

tants, à tel point que Cara se demanda s'il ne se noyait pas pour de bon, cette fois. Puis il se mit à parler.

— Ton dragon du ciel… quelle flamme ! Stupéfiant ! Elle est si vive !

Il fit jaillir hors de l'eau la partie supérieure de son corps et s'inclina devant Cara, comme il l'avait fait un peu plus tôt devant Voltefeu.

— Je t'ai mal jugée, Cara. Tu as tenu tête, seule, à quatre ennemis et tu as sauvé mon troupeau. J'espère que tu voudras bien accepter mes excuses.

Cara se sentit soudain mal à l'aise, embarrassée.

— Je n'ai pas sauvé ton troupeau à moi seule. C'est Voltefeu qui a fait le plus dur… Et tu n'as pas à me présenter d'excuses. Je voudrais simplement que tu n'ailles pas imaginer que tous les dragonniers sont comme Hortense.

— Maintenant que je t'ai rencontrée, je sais qu'il n'en est rien.

Le berger des mers adressa un sourire chaleureux à Cara.

— Et je n'oublierai pas ce que tu as fait aujourd'hui.

Sans autre forme de procès, il plongea de nouveau et disparut dans les flots. Cara se leva d'un bond.

— Attends ! Quant te reverrai-je ?

Mais elle n'obtint pour seule réponse que les pleurs de goélands et le clapotis des vagues.

— Raconte-moi ce qu'il s'est passé aujourd'hui, Cara !

Elle se tenait sur le tapis élimé, dans l'antre de son père. Huw, le Maître des dragons, était assis derrière son imposant bureau, recouvert d'un sous-main de maroquin lustré. C'est là qu'il tenait à jour les registres et les livres de comptes de la Vallée des dragons, ce qui le tenait occupé une partie de la journée.

Cara inspira fortement et se mit à lui narrer par le menu les événements survenus dans la Baie du Peuple des mers. Huw l'écouta attentivement, sans rien dire.

Lorsqu'elle eut terminé, il fit craquer les jointures de ses doigts et laissa tomber son verdict :

— Quelle que soit la gravité de la provocation, je ne peux pas approuver que des dragonniers permettent à leurs montures de se lancer mutuellement des flammes.

— Mais c'est Hortense et sa clique qui ont commencé, papa…

— Quand bien même. Jamais un dragon domestique ne doit cracher de feu en direction d'un être humain. C'est une violation caractérisée du Pacteconfiance, Cara. Tu le sais.

— Oui, mais c'était seulement pour les menacer, leur faire peur. Personne n'a été brûlé.

L'homme au visage de marbre resta impassible.

— Peu importe.

Cara baissa les yeux.

— Désolée, papa.

— Fort bien. Que ça ne se reproduise pas, c'est bien clair ? Sinon, je sévirai.

— D'accord, papa. Mais je ne pouvais pas les laisser chasser les capricornes de Ronan, n'est-ce pas ?

Huw retira ses lunettes et en replia les branches avec soin.

— Il existe une école de pensée qui tendrait à conclure que Hortense et ses amis étaient parfaitement dans leur droit.

— Mais papa…

— Je ne suis pas de cet avis, précisa le Maître des dragons. Mais d'autres que moi le partagent. Si Hortense et ses compagnons étaient venus chasser sur nos terres, c'eût été différent. Là, j'aurais protesté avec vigueur…

— Je vois, interrompit de nouveau Cara. Un lapin de la Vallée des dragons vaut plus cher qu'un capricorne du Peuple des mers, c'est ça ?

Huw lança à sa fille un regard furieux.

— Puis-je terminer sans être interrompu ?

Cara baissa de nouveau les yeux.

— J'allais dire que la mer constitue une zone d'ombre dans les accords passés entre haras. Si je me plains auprès de Lord Torin, tu peux être certaine qu'il prendra parti contre nous – pas seulement parce que sa fille est impliquée, ni parce que lui et moi sommes en froid, ni même parce qu'il se mettrait les pêcheurs à dos s'il donnait l'impression de défendre la cause du Peuple des mers – mais parce que la législation brésalienne ne considère pas comme un délit ce qu'a fait Hortense.

— Elle ne devrait pas être autorisée à chasser les animaux dont le Peuple des mers fait l'élevage. C'est immoral !

— Je suis d'accord avec toi, admit Huw. Et je compatis aux problèmes du Peuple des mers. Mais je ne vois pas l'intérêt d'engager contre Torin une bataille que je suis sûr de perdre, ni d'entamer la réputation de la Vallée des dragons sans que cela soit d'aucun bénéfice au Peuple des mers.

Cara s'apprêtait à protester de nouveau, mais Huw ne lui en laissa pas le loisir.

— Maintenant, l'incident est clos. J'en viens à mon deuxième sujet de préoccupation. J'ai entendu dire que tu étais fâchée avec Brianna.

— Ce n'est pas ma faute ! s'écria Cara en faisant la moue. C'est Brianna qui m'a...

— Je ne vais pas me mêler d'une dispute entre dragonnières, rassure-toi. D'autant moins que l'une d'elles est ma propre fille. Ce n'est pas ma place. Par contre, il est de mon devoir de te mettre en garde : les jalousies et les rivalités entre personnes peuvent être très dangereuses, surtout lorsque lesdites personnes volent dans une même formation. Au départ, je n'étais pas d'accord pour que Madame Hildebrand vous recrute toutes deux pour la parade aérienne de l'École. Si elle m'a convaincue, ce n'est pas parce qu'elle a menacé, une fois de plus, de démissionner...

L'esquisse d'un sourire se dessina sur les lèvres de sa fille.

— … mais parce qu'elle a raison : le fait de pratiquer une discipline différente des concours de saut d'obstacles aidera peut-être Brianna et Monty à renouer leur Pacteconfiance.

Huw frappa du poing sur la table.

— Mais j'ai commencé à regretter ma décision quand je me suis rendu compte que vous étiez toutes les deux à couteaux tirés. Je vais être franc avec toi, Cara : si je disposais de deux autres dragonniers du niveau requis, je vous aurais déjà remplacées. Une confiance totale doit régner entre membres d'une même formation. Et tu sais que la réputation de notre École de dragons repose en partie sur la performance de l'équipe chargée d'exécuter la parade aérienne. Notre survie à tous dépend de cette réputation et je ne tiens pas à la compromettre.

Il avança la tête en direction de Cara et pointa un index menaçant.

— Si tu tiens à nous représenter pendant la compétition organisée à la Tarasque, je veux ta parole que toi et Brianna mettrez un terme à cette fâcherie ridicule. Me la donnes-tu ?

Sans hésiter, mais à mi-voix, Cara répondit :

— Oui, tu as ma parole.

Huw la regarda un long moment droit dans les yeux.

— Dans ce cas, très bien. Ce sera tout. Tu peux aller

t'occuper de ton dragon. N'oublie pas de bien le rincer. Le sable risquerait de l'irriter.

Lorsqu'elle sortit du bureau, Cara avait la bouche sèche et le cœur battant. Elle avait donné à son père la seule réponse possible en la circonstance. Il n'en aurait pas accepté d'autre.

Mais comment allait-elle se réconcilier avec Brianna ?

Il lui avait été facile de faire cette promesse.

Elle pressentait qu'il serait beaucoup plus ardu de la respecter.

13

Les répétitions de l'équipe chargée d'exécuter la parade aérienne de l'École des dragons ne se déroulaient pas comme prévu. Privée de deux de ses dragonniers les plus anciens, qui avaient pris leur retraite, et des deux plus grands espoirs de l'École, Caley et Piran, l'équipe avait perdu ses repères. L'arrivée de Cara et de Brianna n'avait rien arrangé.

— Je ne vois pas ce que je pourrais faire de plus, se lamenta Madame Hildebrand en voyant l'équipe peiner à constituer un losange digne de ce nom. Je leur ai attribué les postes les moins exposés, j'ai simplifié la chorégraphie au maximum, j'ai autorisé Brianna et Caraaa à s'entraîner à part pour rattraper leur retard, mais rien n'y fait ! La compétition de la Tarasque a lieu dans quelques jours, et je ne constate aucun progrès !

— Je suis sûr que vous faites de votre mieux, Hildebrand.

En entendant ce commentaire de Huw, Galen poussa un grognement ambigu.

Dans les airs, les dragons étaient censés dessiner une flèche dont Cara et Brianna devaient constituer la tige. Mais Monty volait beaucoup trop loin derrière le chef d'équipe, et beaucoup trop à droite, cependant que Voltefeu était décalé sur la gauche. Résultat, la tige donnait l'impression d'être en deux morceaux…

Madame Hildebrand grinça des dents en faisant claquer son fouet contre ses bottes de cuir.

À l'arrière de la formation, Cara grinçait des dents, elle aussi : elle était censée se placer derrière Brianna, mais comme celle-ci ne se trouvait pas au bon endroit («Comme toujours !» avait songé Cara avec colère), elle s'était déconcentrée… Elle s'empressa (bien tardivement) de remettre Voltefeu dans l'axe.

Au signal du chef d'équipe, la formation se mit en place pour exécuter la figure suivante : une boucle à la verticale, aussi appelée looping. Madame Hildebrand croisa les doigts.

— S'ils se trompent ce coup-ci, commenta Galen avec froideur, ce sera la chute finale et nous passerons des semaines à les ramasser à la petite cuillère…

Madame Hildebrand le fusilla du regard.

— Galen !

— Oh, je disais ça comme ça…

Mais, fort heureusement, le chef d'équipe réussit l'exploit d'obtenir de chacun des membres de la formation qu'il se trouve au bon endroit, au bon moment, à la bonne allure. Et c'est même avec une certaine grâce que le vol de dragons exécuta le looping.

L'heure de la fin de l'entraînement était arrivée, aussi la plupart des dragonniers se dirigèrent-ils ensuite vers la maison de Maître Huw pour se regrouper, cependant que Cara et Brianna partaient chacune de leur côté exécuter la figure suivante : elles seraient seules en scène.

En dépit de la promesse qu'elle avait faite à son père, Cara ne s'était pas réconciliée avec Brianna, bien au contraire. Membres de la même équipe, elles

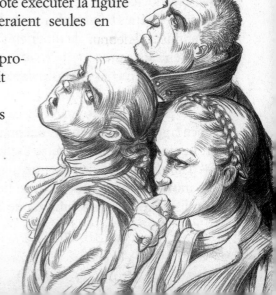

étaient contraintes de se parler. Mais, le plus souvent, leurs échanges se teintaient d'acrimonie et de ressentiment. Chaque fois qu'une de leurs manœuvres communes échouait, chacune en rejetait la responsabilité sur l'autre.

Ce jour-là, leur performance ne fit pas exception à la règle : ce fut un désastre. Elles devaient décrire deux arcs de cercle en sens opposés et se croiser au sommet de la courbe à deux reprises. Mais elles se croisèrent une première fois à mi-hauteur et la seconde fois au bas de la courbe. Madame Hildebrand ferma les yeux et laissa échapper un gémissement.

Lorsque les deux filles eurent mis pied à terre à l'issue de la séance d'entraînement, Cara se rua vers Brianna.

— C'est de pire en pire ! Tu voles aussi mal qu'une novice qui aurait deux mains gauches !

— Une novice, hein ? protesta Brianna. Tu te prends pour qui ? Tu étais tellement en retard lors de la montée que j'aurais eu le temps de dîner en t'attendant.

— C'en est aaassez !

Il fallut séparer les deux furies avant qu'elles n'en viennent aux mains.

— Je n'ai jamais vu pareille exhibition d'incompétence ! gronda Madame Hildebrand. Vous devriez avoir honte de vous, mesdemoâââselles !

— J'annule la parade aérienne, renchérit Huw.

Un murmure désapprobateur se fit entendre depuis l'endroit où les autres membres de l'équipe s'étaient rassemblés. Mais un seul regard de Huw suffit à remettre de l'ordre dans les rangs.

— Je raconterai que nous avons trop de blessés. Tout, plutôt que de subir une humiliation publique ! Manifestement, vous avez tous besoin de vous entraîner davantage. Si vous progressez de façon satisfaisante d'ici là, je vous autoriserai à exécuter une parade lors de la compétition qui aura lieu dans nos murs. Si ce n'est pas le cas, nous nous passerons encore de vos services.

Ces paroles prononcées – sur un ton sévère –, il partit à grandes enjambées en direction de la maison, flanqué de Madame Hildebrand.

Les yeux ostensiblement fixés sur Brianna, Galen lâcha :

— Si une dragonnière n'est même pas capable de tenir sa place dans une parade aérienne, comment pourrait-elle intégrer une patrouille ? On se le demande...

Non sans un hochement de tête compatissant à l'adresse du chef d'équipe, il tourna les talons et s'en alla rejoindre le Maître des dragons et l'Instructrice principale.

Cara et Brianna échangèrent des regards pleins d'amertume.

— Tout est de ta faute ! accusa Brianna avec une rage non dissimulée.

Elle éclata alors en sanglots et partit en courant.

— Cause toujours ! rétorqua Cara, hors d'elle.

Mais personne ne revit Cara ni Brianna ce jour-là.

Et, jusqu'à une heure avancée de la nuit, le garde posté en haut de la tour, qui avait l'ouïe fine, entendit des pleurs étouffés. Des pleurs qui provenaient du box de Monty et de celui de Voltefeu.

La compétition organisée à la Tarasque était la moins appréciée des concurrents de la Vallée des dragons. Non seulement il fallait en passer par un voyage aussi ennuyeux qu'épuisant à travers La Varenne, mais quand ils arrivaient à destination, ils ne devaient pas s'attendre à un accueil des plus chaleureux.

Bien que ce soit encore l'été, le ciel pesait bas et lourd, comme un couvercle, sur la Tarasque. Une brume humide et menaçante sinuait au fond des vallées et la vapeur d'eau qui s'en dégageait s'accrochait dans les branches épineuses des rares bosquets, avant de retomber mollement pour nourrir des marécages brunis par la tourbe.

La propriété de Lord Torin se fondait à merveille dans ce décor lugubre. Les tourelles et les arches pointues de la maison du Maître de la Tarasque s'étiraient vers les cieux bistre comme autant de doigts noueux, qui s'agrippaient aux moindres filaments de clair de lune.

De grotesques gargouilles à l'effigie de dragons ornaient les murs. Le gris des tuiles en ardoise le disputait au noir des lourdes grilles en fer forgé qui clôturaient l'enceinte de ce haras inhospitalier.

La compétition se tiendrait dans la vallée, au fond

210

de laquelle on avait récemment érigé un village de tentes noires et pourpres, qui n'égayaient guère l'atmosphère.

Traditionnellement, les dragons locaux brillaient toujours davantage que les autres dans les compétitions de la Tarasque. Sans doute parce qu'ils n'étaient pas dépaysés, contrairement aux autres, qui déprimaient quelques minutes après leur arrivée.

Sans doute aussi parce que, selon la rumeur, la Tarasque avait recours à des pratiques contraires à la déontologie sportive. Chacun en était persuadé, même si personne n'avait jamais réussi à le prouver. Madame Hildebrand ne manquait jamais une occasion de marmonner :

— Ils trichent, j'en mettrais maaa main au feu. Si seulement je savais comment ils s'y prennent… !

Dès son arrivée, Cara inspecta les lieux et notamment l'arène où se déroulerait le concours de saut d'obstacles. Elle fixa dans sa mémoire l'emplacement des pylônes et des gigantesques mâts tout noirs, entre lesquels s'étageaient des obstacles de difficulté variable.

— Le parcours n'a pas l'air facile, Voltefeu, commenta-t-elle. Il va nous falloir réaliser des prouesses pour décrocher notre quatrième rosette en or.

Mais son enthousiasme à cette perspective était tempéré par le malaise diffus qu'elle éprouvait.

Brianna était arrivée un peu avant elle. Elles avaient attendu l'une derrière l'autre le signal autorisant l'atterrissage, mais Brianna l'avait à peine saluée. Un peu plus tard, elle avait choisi le box le plus éloigné de celui qu'occuperait Cara, à l'autre extrémité du paddock.

Cara était en train de harnacher Voltefeu pour le sans-faute de niveau intermédiaire lorsque Wilf fit son apparition.

— Salut, Cara ! Tu as fait bon voyage ?

— Pas du tout, non. Il y avait du vent, il pleuvait… C'était interminable. Mais j'ai toujours plaisir à monter Voltefeu, quel que soit le temps.

Elle tendit au dragon un coq de bruyère qu'il lui arracha des mains avant de l'engloutir d'une bouchée.

— Et toi, comment s'est passé ton voyage ?

— Oh, c'était affreux. J'ai été secoué en tous sens à l'intérieur d'une calèche pendant des heures. J'étais frigorifié et j'avais mal au cœur. J'ai failli être malade juste avant notre arrivée. Ah, comme je déteste cet endroit ! Si je n'étais pas obligé d'être là, je n'aurais pas fait le déplacement…

Cara ne répondit rien. Il avait bien des raisons de nourrir des griefs contre la Tarasque. Pour commencer, la patrouille de Lord Torin n'était pas venue en aide à sa famille lorsque sa ferme avait été attaquée par des chiens de feu et des hurleurs.

— ... Mais Madame Hildebrand a insisté pour que je propose mes services au Maître Adair, continua Wilf. Alors je suis venu.

— Quelle sera ta fonction, cette fois-ci ? Écureuil ou rat d'arène ?

— Ni l'un ni l'autre. Adair a dit qu'il avait à sa disposition tous les gens expérimentés dont il avait besoin. Ça donne à réfléchir, n'est-ce pas ?

Wilf se tourna vers l'arène en hochant la tête : tous les arrimeurs, écureuils et rats d'arène portaient la tenue pourpre de la Tarasque.

— Que veux-tu dire ? demanda Cara.

— Eh bien, c'est le seul haras qui n'emploie que son propre personnel dans l'arène. Et d'après Madame Hildebrand, leurs dragonniers obtiennent toujours d'excellents résultats ici... On peut y voir un lien de cause à effet...

— Si je franchis tous les obstacles sans commettre d'erreur, ils ne pourront pas me priver de la rosette en or, répondit Cara en riant. À moi de me débrouiller pour y parvenir !

Wilf secoua la tête en souriant.

— Tu vises encore la victoire, alors ?

— J'ai la meilleure monture… N'est-ce pas, Voltefeu ? demanda-t-elle en tapotant le cou de l'animal.

Le dragon acquiesça d'un petit mugissement.

— Comment va Brianna ? intervint alors Wilf, de but en blanc.

L'expression de Cara changea du tout au tout.

— Je ne sais pas. Tu devrais aller le lui demander.

Wilf soupira.

— Tu ne penses pas que le moment est venu de faire la paix avec elle ?

— Nous ne sommes pas en guerre, tu sais ? Et de toute façon, je ne vois pas en quoi ça te concerne.

— Écoute, Cara, je ne suis peut-être qu'un palefrenier, un garçon à tout faire qui a toujours les mains dans le fumier, mais même moi, je sais qu'il est difficile de se faire de vrais amis, et qu'il est très facile de les perdre. Et j'ai aussi appris qu'on ne mesure la valeur de certaines choses que lorsqu'elles ont disparu ou qu'on en est privé. Tu en fais ce que tu veux, hein ?

Sans autre commentaire, il tourna les talons et s'en alla vaquer à ses mystérieuses occupations.

— Oh, qu'est-ce qu'il en sait ? lâcha Cara à l'adresse de Voltefeu, avant de cracher sur une boucle et de la frotter pour qu'elle brille davantage. Je n'y suis pour rien si Brianna ne s'est pas qualifiée pour le championnat. Et puis ce n'est pas mon problème, c'est le sien.

Mais elle n'était pas dupe. Ce n'était pas son problème, certes, mais se pouvait-il qu'elle soit une partie de la solution ? Et si Wilf avait raison : si le moment était venu de faire la paix ? Il lui fallait l'admettre : elle souffrait de cette querelle qui n'avait que trop duré.

Si seulement elle trouvait un moyen de tendre la main à Brianna, de lui prouver qu'elles pouvaient redevenir amies…

— Cara, de la Vallée des dragons ?

Cara se retourna et découvrit une fillette aux cheveux noirs, qui portait une veste d'apparat de couleur pourpre.

— C'est moi, répondit-elle.

— On m'a demandé de te dire que Wony te cherchait. Elle t'attend à l'intérieur de la tente où sont servis les rafraîchissements, près de l'arène des novices.

Sans attendre de réponse, la fillette s'en fut avec le sentiment du devoir accompli.

— Wony ! s'exclama Cara, se sentant quelque peu coupable de l'avoir négligée. Je me demande ce qu'elle veut.

Elle tendit la main pour ôter un morceau de feuille coincé entre deux écailles de Voltefeu. Le dragon balança la tête de droite et de gauche.

— Elle a peut-être besoin de conseils… ou d'argent pour acheter des gâteaux ! C'est le plus probable, la connaissant !

Puis elle tapota le cou de Voltefeu.

— Reste ici tranquillement à m'attendre. Je ne serai pas longue et nous avons encore pas mal de temps devant nous avant l'épreuve de saut d'obstacles.

Elle s'assura que le dragon était solidement attaché

et s'en alla se frayer un chemin à travers la foule des spectateurs.

Mais lorsqu'elle arriva à la grande tente en forme de gâteau, elle ne trouva pas trace de Wony. Elle attendit un moment à l'entrée, en regardant partout autour d'elle. Au bout de quelques minutes, elle finit par perdre patience.

— Dépêche-toi, Wony. Je n'ai pas toute la journée ! marmonna-t-elle entre ses dents.

Elle était sur le point de repartir vers le box où l'attendait Voltefeu lorsqu'elle entendit une voix aussi familière que détestable, qui venait de l'intérieur de la tente.

— Je ne comprends vraiment pas Cara.

C'était celle d'Hortense.

14

Cara risqua un œil à l'intérieur de la tente. Assise à une table située juste à côté de l'entrée, la fille de Lord Torin dégustait un gâteau à la crème en compagnie d'une de ses «admiratrices». Cara recula aussitôt la tête pour ne pas être surprise.

— Ah non? interrogea l'admiratrice, d'une voix étouffée car, de toute évidence, elle parlait la bouche pleine. Qu'est-ce que tu veux dire? *Munch… munch…* Pourquoi tu ne la comprends pas?

— Je ne comprends pas qu'elle traite ainsi Brianna, qu'elle appelait sa meilleure amie. Brianna est vraiment contrariée, expliqua Hortense. Elle m'en a parlé, d'ailleurs.

Cara laissa échapper un cri de surprise et plaça aussitôt la main devant sa bouche. Brianna et Hortense avaient parlé d'elle ? !

— Elle ne comprend pas à quel jeu joue Cara, reprit Hortense. Personne ne comprend. Tout le monde ne parle que de ça. Brianna est en larmes tous les jours ou presque. Elle n'en montre rien à Cara, mais chacun sait combien elle est malheureuse. Elle ne rêve que d'une chose : être recrutée dans la patrouille de Galen. Mais il ne la prendra que si elle se qualifie pour le championnat. Or, tout le monde raconte que Cara ne la soutient pas du tout. C'est même le contraire…

Cara se sentit soudain extraordinairement mal à l'aise. Tout le monde la trouvait injuste envers Brianna ?

À l'intérieur de la tente, Hortense continuait à pérorer.

— Je n'arrive pas à croire que Cara soit si égoïste. Je sais bien que personne, depuis sa mère, n'a remporté tous les sans-faute de la saison, le « grand chelem », et que ce serait un exploit pour Cara que d'y parvenir elle aussi, mais enfin… il y a des choses plus importantes dans la vie.

D'un ton sentencieux, Hortense déclara :

— Les amies comptent davantage que les rosettes.

— Oh, Hortense… *munch… munch…* c'est tellement vrai !

— Brianna serait en droit d'attendre de Cara qu'elle l'aide à se qualifier pour le Championnat de l'île. Elle, elle s'est déjà qualifiée à trois reprises et c'est la dernière chance de Brianna au niveau intermédiaire. Si j'étais dans la même position que Brianna, tu ferais ça pour moi, Jemima, n'est-ce pas ?

— Bien sûr… *munch… munch…* Les amies d'abord !

Depuis son poste d'écoute, Cara sentit son cœur se serrer. Les paroles de Brianna, au retour de Drake-lodge, lui revinrent en mémoire et elle eut honte d'elle-même. Était-elle vraiment cette égoïste que décrivait Hortense ?

Elle en avait assez entendu.

« Il faut que je fasse quelque chose, songea-t-elle. Je dois me comporter à la façon d'une amie, pas d'une rivale. »

Et elle s'en alla d'un pas décidé.

Elle ne vit pas Hortense et son « amie », qui sortaient de la tente et qui la regardaient s'éloigner, avec des mines de hyènes, un rictus aux lèvres. Elle n'entendit pas non plus Hortense proférer ces dernières paroles :

— Bien joué !

Et elle ne la vit pas tendre une pièce d'argent à une petite fille aux cheveux noirs, qui portait une tenue d'apparat de couleur pourpre.

Le ciel était toujours aussi plombé au-dessus de la Tarasque, tuant à petit feu l'enthousiasme déjà très modéré des spectateurs.

Dans le paddock, Cara polissait les écailles de Vol-tefeu et ôtait les dernières traces de boue séchée de ses griffes. Mais sa tête était ailleurs. Elle se demandait comment faire pour rentrer dans les bonnes grâces de son amie. Le moral en berne, elle ne se présenta même pas au concours d'élégance de niveau intermédiaire, qui fut remporté par Hortense, ce qui ne surprit personne.

Mais lorsque ce fut l'heure des concours de vol, elle avait mis au point un plan qui, espérait-elle, aiderait Brianna à se qualifier pour le Championnat de l'île.

La cloche sonna pour annoncer le début de l'épreuve de sans-faute de niveau intermédiaire. Cara regarda à l'autre extrémité du paddock et aperçut Brianna qui arrivait avec Monty. Madame Hildebrand marchait à côté d'elle, sans nul doute pour lui prodiguer conseils et encouragements.

Avec sur le visage l'expression d'une détermination farouche, Cara enfila son casque et se mit en selle. Mais avant de s'attacher, elle se pencha en avant, collant sa tête contre le cou du dragon.

— Nous ne pouvons en parler à personne, Voltefeu. Je sais que tu adores gagner, et moi aussi. Mais il y a des choses plus importantes. Voici ce que nous allons faire…

Et elle chuchota quelques mots à son oreille.

La cloche retentit de nouveau. D'une pression des genoux, Cara indiqua à Voltefeu de prendre la direction de l'arène. Lorsqu'ils furent parvenus juste à l'entrée, elle le fit s'arrêter et ils observèrent les évolutions des premiers concurrents.

Les dragons de Drakelodge et de Bois Wiverne, qui entamaient la compétition, heurtèrent un si grand

222

nombre d'obstacles que les spectateurs se demandaient sans doute si cela ne cachait pas quelque coup fourré de la part de la Tarasque. Mais l'œil exercé de Cara la conduisit à la seule conclusion possible : l'incompétence des dragonniers.

« C'est bon pour Brianna », songea-t-elle en souriant. Elle observa les rats d'arène qui couraient en tous sens pour ramasser barres et poteaux.

Une amélioration sensible fut enregistrée avec la série de concurrents suivante. Mais aucun n'était encore parvenu à réussir un sans-faute.

Bien qu'elle soit avantagée car elle avait travaillé le parcours à maintes reprises, Hortense exécuta un parcours lamentable, comme à l'accoutumée. Mais Cara trouva très étonnant, voire suspect, qu'elle n'ait pas l'air contrariée le moins du monde au terme de sa piètre performance…

Lorsque vint le tour de Cara et de Voltefeu, trois concurrents seulement avaient limité les dégâts à dix points de pénalité.

— LA CONCURRENTE SUIVANTE EST CARA, DE LA VALLÉE DES DRAGONS, QUI VA TENTER DE REMPORTER SA QUATRIÈME ROSETTE EN OR D'AFFILÉE !

Des applaudissements nourris crépitèrent.

— Allons-y, Voltefeu !

D'un seul battement d'ailes, le majestueux Crête d'or s'éleva dans les airs. Cara lui fit effectuer un tour de reconnaissance et, sans plus attendre, lui indiqua le premier obstacle, un simple double horizontal entre les barres duquel deux dragons auraient eu la place de passer.

— Je vais faire ça pour Brianna, lui glissa-t-elle à l'oreille.

Le dragon se dirigea en toute confiance vers le centre de l'espace situé entre les deux barres mais, à la dernière seconde, Cara tira imperceptiblement sur les rênes de jambe, ce qui lui fit perdre de l'altitude. Au moment où il franchissait l'obstacle, son ventre effleura la barre inférieure et la délogea de son emplacement.

Des cris de surprise montèrent de la foule des spectateurs, qui n'en croyaient pas leurs yeux. Même l'écureuil perché sur le mât voisin arborait une expression d'incrédulité. Cara de la Vallée des dragons, détentrice de trois rosettes d'or, avait heurté le premier obstacle du parcours ! Dix points de pénalité ! Il n'y aurait pas de sans-faute ce jour-là.

Voltefeu tourna la tête pour adresser à sa maîtresse un regard réprobateur, mais Cara se contenta de sourire.

— Je sais que tu n'aimes pas commettre des erreurs, mais c'est pour une bonne cause. Maintenant, l'obstacle suivant.

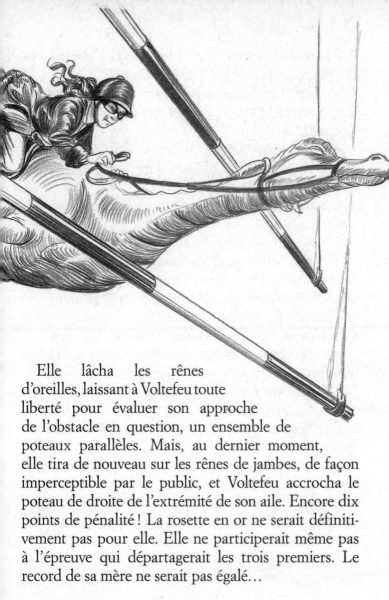

Elle lâcha les rênes
d'oreilles, laissant à Voltefeu toute
liberté pour évaluer son approche
de l'obstacle en question, un ensemble de
poteaux parallèles. Mais, au dernier moment,
elle tira de nouveau sur les rênes de jambes, de façon
imperceptible par le public, et Voltefeu accrocha le
poteau de droite de l'extrémité de son aile. Encore dix
points de pénalité ! La rosette en or ne serait définiti-
vement pas pour elle. Elle ne participerait même pas
à l'épreuve qui départagerait les trois premiers. Le
record de sa mère ne serait pas égalé…

Assise dans les tribunes, Madame Hildebrand pestait et grommelait à qui mieux mieux.

— C'est une êêêrreur de débutante ! Elle a laissé le dragon en faire à sa tête et, au dernier moooment, elle l'a corrigé…

Au milieu des garçons d'écurie, Wilf n'en revenait pas, lui non plus. Il expliquait à qui voulait l'entendre que l'épreuve était « truquée ».

Quant à Hortense, elle se mordait les joues pour ne pas rire.

Cara était heureuse, elle aussi, mais pour des raisons différentes. Elle s'arrangea encore pour que Voltefeu heurte chacun des poteaux qui délimitaient le slalom, ce qui lui valut cinquante autres points de pénalité – au sol, les rats d'arène ne savaient plus où se mettre pour éviter les projectiles. Puis elle annonça à Voltefeu :

— C'est bien, ça suffit. Maintenant, nous allons leur montrer ce dont nous sommes vraiment capables.

Le reste du parcours se déroula sans la moindre erreur. Cara et Voltefeu avaient retrouvé leur précision et leur élégance naturelle, sous les yeux émerveillés des spectateurs médusés.

— Pourquoi n'a-t-elle pas exécuté tout le paaarcours de cette façon ? gronda Madame Hildebrand au moment où la dragonnière et sa monture passaient la ligne d'arrivée. Soixante-dix points de pénaaalité ! C'est insensé !

Cara dirigea Voltefeu hors de l'arène et vint se poser juste devant Brianna, qui attendait son tour. Elle haussa les épaules d'un air détaché et lui adressa un sourire complice. Mais Brianna ne répondit rien, gardant un visage de marbre. Elle allait enfin ouvrir la bouche lorsque la cloche sonna, lui indiquant qu'il fallait entrer dans l'arène.

Cara la suivit du regard. Que lui reprochait-elle encore ? Son amie n'était-elle pas sensible à son sacrifice ? Que pouvait-elle faire de plus ?

Elle n'eut pas le loisir de se le demander bien longtemps, car Madame Hildebrand arrivait en tempêtant.

— Que s'est-il paaassé, malheureuse ? ! J'ai vu des dragonnières incompétentes pendant ma looongue carrièèère, mais je n'avais encore jamais assisté à pareil fiiiasco !

— Je suis désolée, s'excusa Cara, je ne sais pas ce qu'il s'est passé, mentit-elle, les doigts croisés derrière le dos.

— Tu aurais pu égaler le record de tous les temps, mais c'est fini ! Envolé ! Cette chance ne se représente-raaa peut-être pluuus jamais !

— Les amies comptent davantage que les rosettes, madame Hildebrand, répondit calmement Cara.

— Je ne vois pas le rappooort…

— Oh, c'est juste quelque chose que j'ai entendu dire.

Madame Hildebrand plissa les yeux d'un air soupçonneux.

— Je vois… Eh bien, ne crois pas tout ce qu'on te raconte.

Elle frappa une de ses bottes de la pointe de son fouet.

— Enfin, ce qui est fait est fait. Espérons que ton amie saura profiter de tes… «erreurs».

— Mon amie? répéta Cara. Oui, espérons-le.

Puis elle s'empressa d'aller attacher Voltefeu, non sans lui donner un coq de bruyère pour apaiser son orgueil blessé, et retourna à toute vitesse dans l'arène, où elle arriva juste à temps pour voir Brianna entamer son parcours après ses deux tours de reconnaissance.

Monty débuta bien, franchissant les trois premiers obstacles sans encombre. Le cœur battant à tout rompre, l'estomac noué, Cara pouvait à peine respirer. Il ne restait plus que deux ou trois concurrents. Si Brianna ne commettait pas de faute, elle l'emporterait sans problème. Et même si elle écopait de dix points de pénalité, elle participerait à l'épreuve qui départagerait les premiers.

— Allez, Brianna, tu peux y arriver, vas-y ! murmura-t-elle.

Mais Brianna, en dépit de son calme apparent, ne se sentait pas complètement à l'aise. Elle percevait les hésitations de Monty. Impossible de la laisser déterminer seule l'approche des obstacles. Leur Pacteconfiance, s'il s'était renoué, n'était pas complètement restauré. Un dragonnier doit être en paix avec lui-même pour l'être avec sa monture et les événements survenus au cours des mois précédents avaient plongé Brianna dans le trouble et le doute.

Mais elle était résolue à se qualifier pour le championnat. Grâce à son talent naturel et à sa détermination sans faille, elle était parvenue à guider Monty d'obstacle en obstacle, en lui parlant doucement et en l'orientant sans forcer. À trois obstacles de la fin du parcours, elle n'avait encore pas commis d'erreur.

Au sol, Cara ne la quittait pas des yeux, épousant dans sa tête les moindres mouvements de son amie et de sa monture.

Avant d'aborder un triple horizontal, Brianna tira sur les rênes.

— Doucement, Monty, pas trop vite, ordonna-t-elle.

La dragonne ralentit pour franchir la première partie de l'obstacle, mais sembla ensuite paniquer. Elle remua la queue et accrocha le deuxième poteau, qui alla s'écraser dans le sable. Dix points de pénalité !

Cara poussa un gémissement de dépit.

— Ne baisse pas les bras, Brianna ! Tu peux encore affronter les trois autres et l'emporter ! fit-elle à mi-voix.

Brianna serra les dents.

— Pas d'autre erreur, pas d'autre erreur, s'ordonna-t-elle.

Elle fit exécuter un demi-tour à Monty et se dirigea vers l'avant-dernier obstacle, un petit cerceau, qui devait être franchi à bonne vitesse afin que la dragonne puisse prendre la hauteur nécessaire pour attaquer le dernier obstacle : deux barres horizontales très rapprochées.

Les spectateurs admiratifs étaient bouche bée. Le suspense était à son comble. Brianna donna une forte impulsion à Monty qui prit de la vitesse, replia les ailes et franchit le cerceau sans même l'effleurer.

— Bravo ! s'écria Cara en agi-

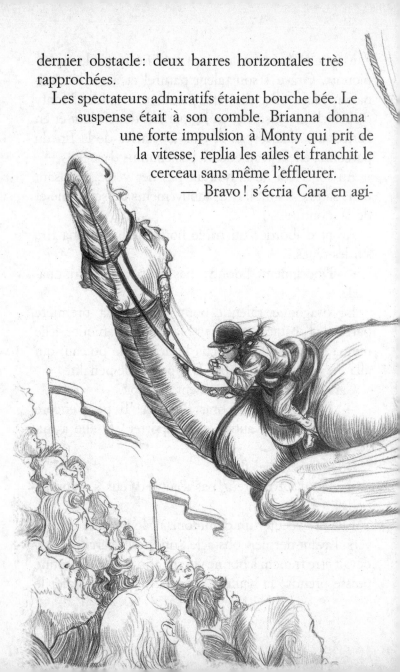

tant un poing victorieux. Allez, vas-y, Brianna !
Plus qu'un seul obstacle !

Son amie ne l'ignorait pas. Elle tira sur les
rênes pour que Monty gagne de l'altitude le
plus rapidement possible. L'instant d'après,

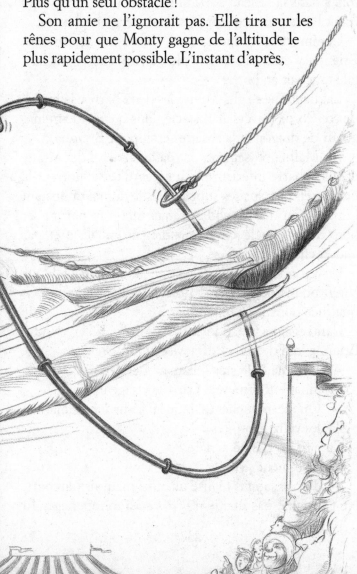

le dernier obstacle se présenta devant eux. Brianna s'enfonça dans la selle et s'aplatit sur le cou de Monty, qui fixait l'étroit espace entre les deux dernières barres.

Comme tous les spectateurs, Cara retint son souffle. Brianna y était presque… plus qu'un seul obstacle… elle touchait au but…

La dragonne se glissa entre les deux barres, la moitié de son corps traversa l'obstacle. Plus qu'une demi-longueur de dragon et la rosette serait pour Brianna…

… Malheureusement, la patte arrière de Monty cogna la barre inférieure. Cara regarda avec horreur la barre trembler sur ses supports. Elle donna un instant l'impression de se stabiliser, mais elle finit par glisser hors de la boucle qui la maintenait en place et par chuter en tournoyant.

Un grondement de déception monta de la foule. Vingt points de pénalité ! Brianna n'était toujours pas qualifiée pour le championnat…

Cara regagna le paddock en hâte et s'en alla rejoindre Brianna, qui dessellait déjà Monty.

— Brianna… Je suis tellement désolée…

Brianna se tourna vers Cara, le visage livide.

— Quelle mouche t'a piquée, là-haut ? demanda-t-elle, les yeux exorbités.

Cara fit un pas en arrière.

— Comment ça ?

— Tu n'as jamais réalisé un aussi mauvais parcours. Ne t'imagine pas que je n'ai pas saisi ton manège. Tu as heurté ces obstacles délibérément ! Je t'ai vue ! Tu essayais de perdre !

Incertaine quant à la meilleure conduite à tenir, Cara opta pour la franchise.

— Eh bien, oui… c'est un peu vrai… mais je l'ai fait…

— Je sais pourquoi tu l'as fait : pour me donner une chance. Comment as-tu osé ?

Brianna tremblait de la tête aux pieds, au bord de l'hystérie.

— Écoute-moi bien, Cara de la Vallée des dragons ! Le jour où j'aurai besoin de ton aide pour avoir la moindre chance de remporter une compétition, j'arrêterai de monter des dragons.

Les joues de Cara étaient en feu.

— Mais… je pensais juste…

— Tu pensais juste que tu allais bien enfoncer le clou en me faisant comprendre que je n'aurais de chance de te battre que si tu m'en offrais la possibilité ! Eh bien, merci, mais non merci ! Ne t'avise plus jamais de m'humilier de la sorte !

Cara sentit monter en elle un accès de rage. Elle s'était sacrifiée pour Brianna, abandonnant toute chance de jamais égaler le record de sa mère, et voilà comment elle en était remerciée.

— Je n'ai pas voulu t'humilier, j'ai essayé de t'aider. Et je n'aurais pas eu besoin de le faire si toi et Monty n'étiez pas si désespérément nulles !

Au moment même où elle prononçait ces paroles, Cara aurait voulu les ravaler. Mais le mal était fait.

Cara et Brianna se contemplèrent longuement, les yeux écarquillés, conscientes qu'une limite venait d'être franchie au-delà de laquelle il ne serait plus possible pour elles de retrouver un terrain d'entente. Le point de non-retour avait été atteint.

Une petite voix triomphante vint alors briser le silence glacial qui les séparait tel un mur.

— Cara ! Brianna ! Regardez ! Une rosette verte ! Nous l'avons gagnée, moi et Frelon ! C'est notre première rosette dans un concours d'obstacles. Regardez !

Cara détourna les yeux pour découvrir le visage fendu d'un large sourire de Wony, qui était suivie de près par Wilf.

— Pas maintenant, Wony, répondit-elle d'un ton brusque.

Les yeux de Wony se posèrent sur Brianna, puis de nouveau sur Cara. Elle comprit alors la force virulente de l'animosité qui s'était instaurée entre ses deux amies. Son visage se décomposa. La rosette tomba par terre.

Brianna darda un regard haineux à l'adresse de Cara.

Puis elle entraîna Monty vers son box.

Cara la suivit des yeux, pétrifiée.

— A-t-on jamais vu pareille ingratitude ?

— Oh, tais-toi donc !

Interloquée, Cara se retourna. Wilf la contemplait

avec une lueur réprobatrice dans les yeux, les lèvres pincées.

— Juste une fois, assena-t-il avec toute la dureté dont il était capable, ce serait vraiment bien si toi et Brianna pouviez vous intéresser à d'autres que vous-mêmes. Juste une fois !

Il se baissa pour ramasser la rosette.

— Viens, Wony. Allons la montrer à Madame Hildebrand. Je suis sûre qu'elle sera ravie pour toi.

Il tourna les talons et prit Wony par la main.

— Wony… Je… je… balbutia Cara en s'efforçant de recouvrer un semblant de calme. Je voulais dire… Bravo ! Une verte, hein ? C'est vraiment… vraiment…

— Quel enthousiasme ! lâcha Wilf par-dessus son épaule, d'un ton sarcastique.

Cara se rebiffa.

— Oh, fiche-moi la paix, veux-tu ? Tu ne vois pas que je suis contrariée ?

— Oh, tu es contrariée, hein ? lança-t-il en se retournant. Pauvre petite ! Si j'avais le temps, je vous plaindrais, toi et Brianna…

Puis il se remit en route avec Wony, sourd aux accusations en rafale que lui adressait Cara.

— Et après avoir vu Madame Hildebrand, nous pourrions aller déguster une grosse part de gâteau, proposa-t-il à la fillette.

Le petit visage fripé de Wony retrouva instantanément des couleurs.

— De la génoise à la cerise ?

Ses yeux brillaient de convoitise.

— Avec plein de crème fouettée ?

Wilf hocha la tête.

— Allons-y tout de suite ! suggéra Wony. Nous irons voir Madame Hildebrand après…

Hortense arriva en chantonnant devant le box où Ernestine achevait de brosser les écailles de Feu d'orage. Elle avait ôté sa veste d'apparat, qui était ornée d'une rosette en or.

— Tu es de bien bonne humeur, Hortense ?

— Oui. Cara et Brianna viennent de s'écharper comme deux chiens de feu !

— Ah oui ? Et alors ?

— Et alors ? fit Hortense en minaudant. Eh bien, je crois que j'ai droit à des remerciements.

— Des remerciements pour quoi ? demanda Ernestine, vaguement agacée.

— Pour t'avoir permis de remporter ta première victoire de la saison.

Ernestine se figea sur place.

— Je dois dire que j'ai été très habile, reprit Hortense. J'ai fait croire à Cara que si elle était vraiment l'amie de Brianna, elle la laisserait gagner. Alors Cara a fait exprès de heurter des obstacles… Bien sûr, Brianna n'a pas gagné ! Quand elle vole, on dirait une wiverne qui a le hoquet. Donc, une fois que j'ai eu fait le ménage pour toi, il t'a été facile, ensuite, de remporter l'épreuve.

À la grande surprise d'Hortense, Ernestine adopta une expression renfrognée, comme si elle ne mesurait pas sa chance.

— Eh bien quoi ? Tu n'es pas contente ?

Ernestine ne répondit rien. Elle se remit à récurer les écailles de Feu d'orage.

— Ah, ça fait plaisir ! Merci, Ernestine ! Démenez-vous pour les copines ! On ne m'y prendra plus !

Vexée, Hortense pointa son menton en galoche vers le ciel et s'en alla sans demander son reste.

Ernestine resta un moment songeuse. Puis elle jeta son chiffon dans le seau qui se trouvait à ses pieds et se dirigea vers sa veste d'apparat, suspendue à un clou. Elle contempla longuement la rosette, avant de la décrocher de sa veste. Elle caressa le ruban soyeux de ses doigts, puis elle la glissa dans la sacoche où elle rangeait son matériel, qu'elle referma avec soin.

Ainsi, elle ne verrait plus cette récompense usurpée.

15

Cara nageait dans les eaux limpides de la Baie du Peuple des mers, cependant que Voltefeu paressait sur un rocher, se chauffant au doux soleil de la fin d'après-midi.

Depuis la compétition de la Tarasque, Brianna s'était murée dans un silence vengeur. Monty elle-même semblait avoir pris son parti, qui tournait la tête et agitait les ailes avec un air mauvais chaque fois qu'elle apercevait Cara.

C'est peut-être la raison pour laquelle sa maîtresse et elle volaient beaucoup mieux ensemble. Unies dans leur haine de Cara, elles avaient trouvé là un moyen de renforcer leur Pacteconfiance.

Cara vivait mal cette solitude imposée, d'autant plus que Wony et Wilf la battaient froid, eux aussi.

Certes, du fait que Brianna et Cara ne se disputaient plus et qu'elles s'ignoraient l'une l'autre superbement, les séances d'entraînement se déroulaient mieux. Chacune faisait ce qu'on lui demandait sans broncher. Brianna progressait de jour en jour. À telle enseigne que Madame Hildebrand ne menaçait plus de démissionner et que Huw avait accepté – bon gré, mal gré – d'autoriser l'équipe à exécuter des acrobaties pendant la compétition annuelle de la Vallée des dragons, la dernière de la saison.

Cara avait pris l'habitude, dès qu'elle disposait d'un peu de temps libre, de retourner à l'endroit où elle avait rencontré Ronan. Elle nageait sur le dos ou s'allongeait dans l'eau, près du rivage, et elle oubliait tous ses soucis. La rupture de ses liens d'amitié avec Brianna lui pesait moins, pendant ces instants magiques où elle était à l'unisson de la nature et des éléments, comme en suspension entre ciel et terre.

— Cara !

Surprise d'entendre une voix juste à côté de son oreille, elle sursauta et en oublia de nager pour se maintenir à flot. Résultat, elle avala une bonne tasse. L'eau salée lui piqua les yeux et remonta à l'intérieur de son nez. Toussant et crachant, elle s'apprêtait à protester lorsqu'elle reconnut un visage familier et souriant.

— Ronan !

Voltefeu, qui s'était assoupi, ouvrit aussitôt les yeux et poussa un mugissement de bienvenue. Le berger des mers regarda autour de lui, comme pour s'assurer que personne ne les observait, puis il profita d'un rouleau pour se laisser porter jusqu'à un rocher. Une fois en place, il tendit la main à Cara pour l'aider à le rejoindre.

— Je suis bien content de te revoir, dit alors Ronan, non sans une certaine timidité.

— Moi aussi, répondit Cara.

Elle escalada les rochers pour aller chercher un vieux morceau de couverture dans le sac qui pendait de la selle de Voltefeu et s'en servit pour s'essuyer les cheveux avec vigueur.

— Ton dragon de mer est avec toi ?

— Mordannsair ?

— C'est son nom ?

— Oui, confirma Ronan. Il est là-bas, il m'attend, tu le vois ? Il ne s'aventure jamais si près du rivage.

Comme si elle devinait qu'on parlait d'elle, la créature fantastique battit de la queue, effectua une petite danse à reculons à la manière d'un dauphin et poussa le cri guttural que Cara avait déjà entendu. Fascinée à la vue de cette force de la nature, elle fut parcourue d'un frisson.

Lorsque la bête eut regagné les profondeurs, Cara étala la couverture sur le rocher et prit place dessus.

— Je commençais à croire que je ne te reverrais jamais, Ronan. Je suis venue rôder par ici à plusieurs reprises.

— Je sais. Je t'ai vue.

— Alors, pourquoi ne t'es-tu pas manifesté ?

Ronan prit un air effaré.

— Ce n'est pas comme si nous étions de la même… race, toi et moi ! Les miens ne comprennent pas vraiment que je m'intéresse à toi. Je leur ai raconté de quelle manière tu avais sauvé mes capricornes, mais ils ont cru que j'exagérais. Ils ne font pas confiance aux êtres humains. Ils étaient fâchés que je t'aie parlé et ils ne voulaient pas que je te revoie.

— Je sais de quoi tu parles. J'en ai fait moi-même l'expérience.

Elle avait gardé le souvenir cuisant des remarques sarcastiques d'Hortense.

— Mon peuple est prisonnier de ses habitudes. Chez nous, on n'imagine pas que des êtres différents puissent s'entendre.

Du bout des doigts, Ronan repoussa délicatement un insecte qui venait de se poser sur ses écailles.

— Une expression décrit parfaitement la façon dont le Peuple des mers envisage ses relations avec « ceux qui volent sur des dragons ailés », comme ils disent : l'eau et le feu sont incompatibles, car l'eau éteint le feu mais le feu la fait bouillir.

— L'eau et le feu… répéta Cara, songeuse.

Elle frissonna de nouveau et passa la couverture autour de ses épaules pour se réchauffer. Ce faisant, elle se rapprocha de Ronan.

— Je ne vois pas en quoi cela pourrait nous empêcher d'être amis, toi et moi.

Et elle tendit la main au jeune berger, qui parut

sidéré. À l'évidence, on ne se serrait pas la main entre gens du Peuple des mers. Mais il tendit la sienne, que Cara fut surprise de trouver agréablement chaude, et non pas froide et humide.

Il la récupéra vivement, cependant, et se détourna, comme s'il était gêné par ce contact. C'est alors que Cara poussa un cri d'effroi.

— Tu es blessé !

Ronan sursauta.

— Où ça ?

— Dans le dos : tu as trois grandes plaies béantes de chaque côté de la colonne vertébrale ! Est-ce que tu as été attaqué par un requin ?

Ronan la contempla un moment bouche bée, puis partit d'un grand rire. Il fut tellement secoué qu'il manqua tomber de son rocher.

— Qu'ai-je dit de si drôle ? interrogea Cara.

Ronan finit par recouvrer son sérieux assez longtemps pour lui répondre :

— Ce sont mes ouïes. J'en ai besoin pour respirer dans l'eau. J'aspire de l'eau par la bouche, mes branchies en extraient l'oxygène et l'eau ressort par mes ouïes. En dehors de l'eau, je me sers de mes poumons.

Cara ouvrit des yeux ronds. Les « plaies béantes » étaient maintenant recouvertes par de grosses lamelles de peau luisante.

— Les poissons n'ont que des branchies, déclara fièrement Ronan. Quant aux marsouins, aux dauphins et aux capricornes, ils n'ont que des poumons. Moi, j'ai les deux, alors je peux rester dehors à respirer de l'air plus longtemps que n'importe quel poisson et je peux rester sous l'eau plus longtemps que les dauphins.

— J'imagine que lorsque tu nages, tu éprouves les mêmes sensations que moi lorsque je vole ? interrogea Cara.

— Impossible de le savoir, répondit Ronan en haussant les épaules.

— Ce que je veux dire, c'est que… lorsque je vole avec Voltefeu, j'ai un sentiment de domination. Je vois les forêts, les lacs, les rivières défiler au-dessous de moi, comme s'ils appartenaient à un autre monde. Quand je vole, j'appartiens au monde de l'air et quand je ne vole pas, j'appartiens au monde de la terre…

— Oui, et quand ton dragon crache des flammes, il appartient au monde du feu, fit observer Ronan. Vous en avez de la chance, vous les dragonniers ! Vous maîtrisez trois éléments : la terre, l'air et le feu.

— L'eau aussi, corrigea Cara. Je sais nager, tu sais ? De nouveau, Ronan éclata de rire.

— Je ne voudrais pas te vexer, Cara, mais tu nages aussi bien qu'un flet à la queue duquel on aurait attaché une casserole. Contente-toi de trois éléments ! Moi, je me satisfais d'un seul : l'eau. Dans l'eau, je suis libre, libre d'explorer nos forêts de varech et nos grottes secrètes, libre de parcourir les hauts-fonds que transpercent les rayons du soleil, libre de me perdre dans les eaux profondes et obscures qui sondent les âmes.

— Alors, tu as peut-être plus de chance que nous…

Si nous n'avions pas les dragons, nous ne pourrions jamais quitter la terre.

Elle resta silencieuse quelques instants. Pour la première fois, elle mesurait avec précision ce que le Pacteconfiance avec les dragons représentait pour les êtres humains.

— Il se fait tard, Ronan, constata-t-elle à regret. Il va falloir que je m'en aille…

— Moi aussi… on m'attend… répondit le berger avec gravité. Mais promets-moi que, si tu reviens par ici… tu m'appelleras ?

— Bien sûr, répondit Cara, touchée par l'émotion soudaine qui avait saisi Ronan. Mais comment ?

— Il te suffira de frapper la surface de l'eau trois fois, comme ça.

Il battit l'eau de sa queue et le son ainsi produit se répercuta dans les falaises alentour.

Cara descendit de son rocher et se pencha.

— Comme ça ?

Mais elle ne produisit qu'un maigre clapotis qui déclencha une fois encore l'hilarité de Ronan.

— Ah non, là, je ne t'entendrai jamais.

C'est alors que trois gigantesques coups de tonnerre retentirent. Ronan et Cara se tournèrent et regardèrent Voltefeu. Très fier de lui, le dragon souleva la queue et la précipita de nouveau vers l'eau à trois reprises.

— Bravo, dragon ailé ! Là, j'entendrai certainement !

Et sur ces entrefaites, il plongea sans produire une seule éclaboussure et disparut aussitôt.

Au cours des semaines qui suivirent, Cara et Brianna n'eurent guère le temps de donner libre cours à leur animosité. Tout le monde travaillait dur à la préparation de la compétition. L'arène d'entraînement devait être transformée de manière à pouvoir accueillir les très nombreux spectateurs qui assisteraient aux diverses épreuves.

Pendant ce temps, les activités normales de la Vallée des dragons se poursuivaient : il fallait toujours nettoyer, assurer des patrouilles de nuit, et surtout s'entraîner encore et encore pour être à la hauteur de la réputation de l'École de Huw.

En cuisine, Gerda et son équipe travaillaient chaque jour de longues heures : il fallait commander des tonnes de vivres, les entreposer aussi. Des monceaux de sacs de farine étaient livrés chaque matin, en provenance du moulin qui se trouvait en amont du ruisseau qui serpentait à travers le haras.

On envoyait les enfants cueillir des fruits rouges et des baies pour que Gerda puisse mitonner ses délicieuses pâtisseries. Beaucoup de visiteurs ne venaient pas tant pour assister aux concours que pour déguster les merveilles que fabriquait Gerda.

À mesure que la date de la compétition approchait, le Pacteconfiance entre Brianna et Monty se consolidait. Ils avaient retrouvé presque tous leurs automatismes. Cara s'en réjouissait : elle n'en aurait que plus de satisfaction à battre Brianna. Après ce qu'il s'était passé à la Tarasque, plus question pour elle de se tenir en retrait. Elle ne voyait pas d'inconvénient à ce que Brianna arrive deuxième ou troisième et se qualifie pour le Championnat de l'île. Mais si elle le pouvait, elle avait bien l'intention de gagner.

L'équipe qui exécuterait les acrobaties et la parade aériennes progressait régulièrement, elle aussi, mais les tensions qui couvaient entre certains de ses membres menaçaient d'éclater au grand jour à tout moment.

Le matin de l'ouverture de la compétition, Cara ne fut pas particulièrement étonnée de voir Hortense s'approcher d'elle, alors qu'elle sellait Voltefeu.

— Tu veux quelque chose ? lui demanda-t-elle froidement.

— Non… non… mentit Hortense, désarçonnée par cette marque d'agressivité immédiate.

Cara continua d'attacher sangles et boucles.

— Eh bien, c'est juste que…

Hortense affectait de la nervosité, se tortillait les doigts et se dandinait. Finalement, elle se hissa sur la pointe des pieds, joignit les mains et demanda, d'une voix tremblante :

— Tu ne vas pas prendre de risques excessifs, au moins ?

Cara haussa les sourcils et se retourna.

— Qu'est-ce que tu veux dire ?

— Oh, je ne m'y prends pas très bien, décidément. Comment dire… euh… Écoute, Cara, je sais que nous ne sommes pas des amies…

— C'est le moins qu'on puisse dire !

Hortense fit mine de ne pas relever cette remarque.

— Quand bien même… Je ne voudrais pas te voir aller trop loin…

Elle inspira fortement.

— … Vois-tu… j'ai parlé à Brianna et elle m'a dit que… tu sais, le face-à-face de la mort, la figure pour laquelle vous devez voler l'une vers l'autre depuis les deux extrémités de l'arène et faire un virage au dernier moment pour vous éviter ?

— Oui, bien sûr, je connais cette figure.

— Eh bien, elle a dit que… tu virais trop tôt…

— Elle a dit ça ?

— Oui… et que tout le monde voyait bien que vous preniez toutes vos précautions pour vous éviter, alors ce n'est pas convaincant… Je lui ai répondu que tu pensais avant tout à sa sécurité à elle et elle m'a répondu que c'était plutôt le contraire.

Cara serra si fort une des boucles que Voltefeu poussa un gémissement et lui adressa un regard de reproche.

— En tout cas, elle m'a dit qu'elle allait t'en parler. Est-ce qu'elle l'a fait ?

— Non, répondit Cara en serrant les dents.

— Oh là là… Je n'aurais peut-être pas dû évoquer le sujet, alors… ? Je n'en rate pas une, décidément…

Hortense maîtrisait l'art de la tromperie à la perfection.

Il faut dire qu'elle s'était entraînée quelques instants plus tôt... puisqu'elle avait eu exactement la même conversation avec Brianna.

Les premières acrobaties aériennes de l'équipe de la Vallée des dragons se déroulèrent sans incident notable. La formation en losange était impeccable, la tige de la flèche était rectiligne, la patte d'oie exécutée avec une précision de métronome. Après le «feu d'artifice», où l'on vit tous les dragons monter à la verticale avant d'effectuer un looping en synchronisation parfaite, le gros de l'équipe alla se regrouper au-dessus de la maison de Maître Huw.

Seules Cara et Brianna restèrent au-dessus de l'arène pour saluer la foule. C'est que l'heure était venue de l'exhibition en duo.

Voltefeu et Monty se mirent à voler à reculons, l'un à côté de l'autre. Cara en profita pour jeter un regard à Brianna. Bien que les deux filles ne soient pas dans les meilleurs termes, Cara fut surprise de l'intensité du mépris et de la colère qu'elle découvrit sur le visage de sa coéquipière.

«Qu'à cela ne tienne! songea-t-elle. Nous verrons bien qui craque la première.»

Les figures s'enchaînèrent sans accroc, tant les deux filles maîtrisaient leur art... et tant Madame Hilde-

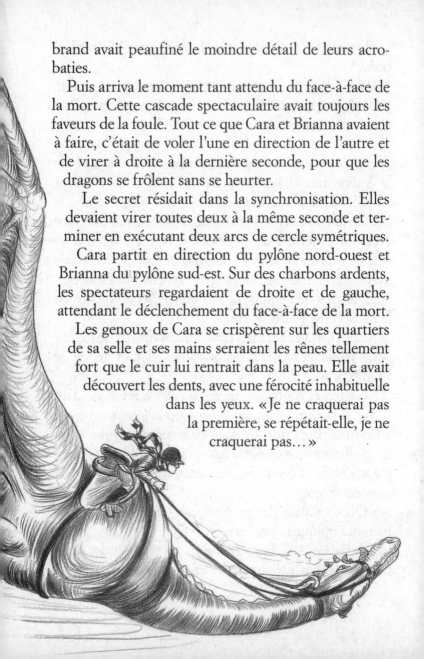

brand avait peaufiné le moindre détail de leurs acrobaties.

Puis arriva le moment tant attendu du face-à-face de la mort. Cette cascade spectaculaire avait toujours les faveurs de la foule. Tout ce que Cara et Brianna avaient à faire, c'était de voler l'une en direction de l'autre et de virer à droite à la dernière seconde, pour que les dragons se frôlent sans se heurter.

Le secret résidait dans la synchronisation. Elles devaient virer toutes deux à la même seconde et terminer en exécutant deux arcs de cercle symétriques.

Cara partit en direction du pylône nord-ouest et Brianna du pylône sud-est. Sur des charbons ardents, les spectateurs regardaient de droite et de gauche, attendant le déclenchement du face-à-face de la mort.

Les genoux de Cara se crispèrent sur les quartiers de sa selle et ses mains serraient les rênes tellement fort que le cuir lui rentrait dans la peau. Elle avait découvert les dents, avec une férocité inhabituelle dans les yeux. «Je ne craquerai pas la première, se répétait-elle, je ne craquerai pas…»

La cloche sonna le départ de l'assaut et les deux dragons s'élancèrent en direction l'un de l'autre.

Cara tint bon le cap. Monty se rapprochait, Monty
grossissait devant elle à vue d'œil, mais elle ne céderait
pas. Par réflexe – et par prudence –, Voltefeu commença à s'incliner sur la droite mais Cara le ramena
aussitôt à l'horizontale, d'une pression sur les rênes.

Elle avait l'impression que tout s'accélérait et, en
même temps, que son cœur battait au ralenti.
Monty et Voltefeu volaient l'un vers l'autre à
la vitesse de l'éclair. Le sang cognait contre
ses tempes.

En une fraction de seconde, Cara vit
le rictus farouche de Brianna se trans-
former en expression d'effroi. Elle sentit
la même expression déformer
son propre visage.

Toutes deux venaient de le comprendre, elles avaient attendu cette fraction de seconde de trop avant d'effectuer leur virage.

Elles faillirent néanmoins s'en tirer à bon compte. Les serres de Monty étaient venues accrocher la partie inférieure du harnachement de Voltefeu mais les deux animaux s'étaient croisés. Le seul problème, c'est que les extrémités de leurs ailes s'étaient heurtées au passage.

Monty chavira de droite et de gauche mais parvint à retrouver une trajectoire rectiligne.

Voltefeu n'eut pas cette chance. Cara entendit les cris qui montaient de l'arène pendant que son dragon, incapable de se redresser, entamait une descente en vrille vers le sol.

16

Les superbes réflexes de Voltefeu leur sauvèrent presque la mise. À la dernière seconde, le dragon parvint à redéployer ses ailes et à redresser sa trajectoire. Cara tira de toutes ses forces sur les rênes d'oreilles, pour le faire remonter – ce que Voltefeu essayait de faire d'instinct – mais ils se trouvaient désormais trop près du sol.

L'attelage incontrôlé frôla les gradins, poussant les spectateurs pris de panique à se réfugier dans les rangées les plus élevées, continua sa course en rase-mottes dans la prairie voisine et s'en alla la terminer en renversant plusieurs stands sur lesquels étaient empilés des gâteaux, des tartes, des flans et des tourtes à la viande qui fusèrent dans toutes les directions, faisant exploser des cruches et autres récipients remplis à ras bord de jus de myrtilles, ou encore des fioles contenant le vin d'aubépine prescrit par Albéric pour calmer les dragonneaux trop agités.

Au passage de cette tornade destructrice, la tente sous laquelle officiait Gerda et ses cuisiniers s'effondra sur ses occupants et la folle équipée s'acheva contre la tente des infirmiers, qui se demandèrent si le ciel n'était pas en train de leur tomber sur la tête.

Galen, qui avait observé la scène avec un sourire narquois, fit ce commentaire d'un ton acide :

— Eh bien, les infirmiers vont enfin avoir l'occasion d'exercer leurs talents... Sur eux-mêmes !

Cara demeura immobile un long moment, le temps de recouvrer ses esprits après cette apocalypse. La tête lui tournait et ses membres endoloris ne réagissaient plus.

Petit à petit, elle retrouva des sensations et son esprit embrumé s'éclaircit. Sa première pensée fut alors pour Voltefeu.

— Voltefeu ! murmura-t-elle.

Pas de réponse.

— Voltefeu ? appela-t-elle, un peu plus fort.

Toujours rien.

Elle détacha les boucles qui la maintenaient en selle et se laissa glisser au sol, entre les débris. Elle avança vers la tête du dragon et passa les bras autour de son museau.

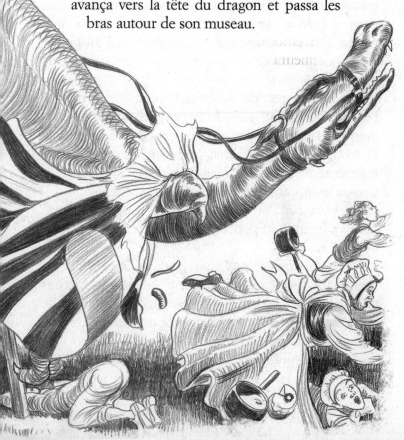

— Voltefeu ! Tu es blessé ? Oh, mon pauvre petit !
Toujours aucune réaction.

— Oh non !! Tu n'es pas… mort ? Ce n'est pas possible ?

Elle sentit son sang se glacer dans ses veines. À cause d'un défi stupide qu'elle s'était lancé par orgueil, elle venait peut-être de tuer son dragon. Elle ne s'en remettrait jamais, elle ne se le pardonnerait jamais !

Sourde au brouhaha de l'attroupement qui s'était formé tout autour d'elle, Cara n'avait d'attention que pour la grande masse inerte qui gisait sur le sol, inanimée. Des larmes amères commencèrent à lui piquer les yeux et sa gorge se retrouva prise dans un étau de culpabilité.

Soudain, la pile de débris qui recouvrait le dragon remua doucement, puis de façon plus marquée. Cara manqua s'évanouir de soulagement. Voltefeu s'ébroua et tenta de se relever, mais sans succès car la partie inférieure de son corps était littéralement ensevelie. Il poussa un grognement de mécontentement.

— Voltefeu ! Tu es vivant ! Ô, quel bonheur ! Tout va bien, mon petit ! Ne t'inquiète pas ! Je vais te dégager…

C'est alors qu'elle prit conscience de la présence de nombreux spectateurs, infirmiers, cuisiniers, garçons d'écurie, juges et autres dragonniers, sans parler de son père, qui la contemplaient avec un mélange d'effarement et d'inquiétude.

— Aidez-moi ! Aidez-moi donc à le libérer !

256

Huw se saisit de sa fille, la souleva et la tourna dans tous les sens, l'inspectant sous tous les angles.

— Cara ! Tu n'as rien ? Tu es indemne ?

— Oui, papa, je vais bien, mais Voltefeu est pris au piège.

Elle vit les poumons de Huw se gonfler de soulagement. Elle prit conscience qu'il avait dû être terrifié par l'accident qui venait de se produire et qu'il consentait de gros efforts pour se calmer.

— Commençons par le commencement ! dit-il.

Il sortit un couteau d'une gaine qu'il portait à sa ceinture et se mit à cisailler une des grosses cordes qui avaient servi à maintenir la tente des infirmiers au sol. Une fois la première corde coupée, il s'attaqua à la seconde, et ainsi de suite avec l'aide de Wilf, qui affichait une pâleur cadavérique mais aussi une solide détermination.

Dès qu'il fut dépêtré des cordes et des toiles de tente qui bloquaient ses mouvements, Voltefeu se releva et déploya ses ailes. Il poussa un cri de douleur et grimaça, car certains de ses muscles protestaient.

— On dirait qu'il va s'en tirer sans trop de dommage, commenta Albéric, que ses longues jambes avaient transporté en hâte jusqu'à la scène de l'accident.

Après avoir sollicité l'aide de Wilf, il se mit en devoir d'examiner de près le grand blessé.

À ce moment arriva Brianna, qui s'était frayé un chemin à travers la foule des badauds, qui grossissait

257

de minute en minute. Essoufflée au terme de sa course, elle haletait.

— Cara !

Celle-ci se retourna vers elle.

— Co… comment… va-t-il ?

Mais sa voix s'étrangla dans sa gorge.

— Il va bien, Brianna, moi aussi, répondit Cara. Et Monty ?

Brianna fit oui de la tête, secouée de hoquets. Huw, de nouveau en pleine maîtrise de ses facultés, s'approcha de son élève.

— Brianna…

— Maître Huw ?

— Reconduis Monty à son box et réconforte-la. Albéric viendra l'examiner dès qu'il en aura terminé avec Voltefeu. Bien entendu, pas question de participer à une autre épreuve aujourd'hui.

Brianna contempla le Maître des dragons avec la même expression que s'il avait vidé sur elle le contenu d'un seau d'eau glacée. Tous ses espoirs, tous ses rêves venaient d'être douchés.

En la voyant ainsi mortifiée, Cara oublia tout de la querelle qui l'opposait à elle depuis des semaines.

— Papa ! Tu ne peux pas faire ça ! Tu ne peux pas lui interdire de concourir pour le sans-faute intermédiaire si Monty est en forme. C'est sa dernière chance de se qualifier…

— Cara !

Il n'avait pas élevé la voix mais la plus grande fermeté se lisait dans son regard.

— Vous auriez pu vous tuer, aujourd'hui, l'une et l'autre. Je vous tiens toutes les deux responsables de ce désastre. Vous êtes toutes les deux à blâmer. Vous avez perdu le droit de représenter la Vallée des dragons lors de cette compétition. Je n'en dirai pas plus. Le temps presse. Je vais avoir beaucoup de travail pour réparer les dégâts que vous avez causés. Cara, tu vas rester avec Voltefeu pendant qu'Albéric l'examine. Brianna, tu as reçu tes instructions.

— Oui, Maître Huw, répondit cette dernière.

Cara la regarda s'éloigner, pleine de compassion pour son amie. Pauvre Brianna ! C'était vraiment injuste.

Albéric venait de se relever. De ses doigts effilés, il se pinça le nez, qu'il avait crochu. Puis, se tournant vers Wilf, il demanda :

— Alors, qu'en penses-tu ?

— Moi ? fit Wilf, ouvrant la bouche toute grande. Hum… Eh bien… euh… je dirai qu'il a un muscle de l'aile gauche froissé… il ne la tient pas normalement, un peu comme les oies, lorsqu'elles sont blessées…

— En effet : traumatisme du *flexor alae major*. Quoi d'autre ?

— Certaines des écailles de sa poitrine et de son ventre sont abîmées, alors il est probable qu'il est salement amoché à l'intérieur. Et il a mal juste là… – Wilf appuya délicatement à la jointure de l'épaule droite – …alors il se pourrait qu'il ait une côte cassée. J'ai vu ça chez des quines. D'un autre côté, comme il respire normalement, j'opterais plutôt pour une bonne élongation.

— Je suis d'accord, confirma Albéric. Traitement ?

— Hum… ah, bien… à la ferme, nous appliquions des cataplasmes sur les coupures pour faire sortir la saleté et désinfecter, répondit Wilf en haussant les épaules, comme s'il se sentait plutôt démuni. Mais je ne sais pas si ça marche sur les dragons.

— Oui, ça marche. Je t'en charge, mon garçon. Des cataplasmes aux endroits où il manque des écailles, des compresses froides sur les muscles froissés et sur les contusions. Et de la glace, si tu en trouves.

Puis il hocha la tête d'un air satisfait.

— Fort bien. Le mieux est de le reconduire dans son box. Moi, je vais aller examiner l'autre victime.

Wilf regarda le vétérinaire s'éloigner, le torse bombé.

— Vous avez vu ? Il m'a demandé mon avis. Il m'a demandé mon avis, à moi !

D'une petite voix, Cara demanda :

— Wilf… ? Tu voudrais bien m'aider à ramener Voltefeu, s'il te plaît ?

Wilf dut s'arracher à cet accès d'autosatisfaction.

— Oh… oui, bien sûr… mais il faut d'abord que j'aille chercher Wony. Elle voulait venir avec moi quand elle t'a vue t'écraser, mais je ne l'ai pas laissée… Je pensais que tu serais peut-être… et je ne voulais pas… enfin…

Il devint cramoisi.

— Tu comprends ce que je veux dire… Bref, je lui ai demandé d'attendre là-bas avec Frelon. Il était très contrarié. Comme tous les autres dragons.

«Comme tous les autres dragons.» L'écho de ces mots résonna plusieurs fois dans la tête de Cara. Pour la première fois, elle prit alors conscience du raffut que faisaient les dragons. C'était un concert de mugissements et de grognements à fendre l'âme.

— Il va falloir que je trouve un moyen de les calmer, dit-elle. Ils ne peuvent pas concourir dans cet état. Le mieux est que je fasse le tour par le paddock avec Voltefeu. Comme ça, les autres verront qu'il n'est pas gravement blessé et ils seront rassurés. Tu n'auras qu'à me rejoindre à l'écurie, d'accord ?

Wilf hocha la tête et s'empressa d'aller retrouver Wony, qui devait se ronger les sangs.

Lorsque Brianna pénétra dans la cour de l'écurie avec Monty, la première personne qu'elle y trouva était Hortense. Elle se tenait juste devant la porte du box de Monty, de sorte que Brianna n'ait d'autre choix que d'engager la conversation.

— J'ai tout vu, annonça-t-elle d'une voix qui se voulait compatissante.

Mais la lueur vengeresse qui brillait dans ses yeux démentait toute apparence de pitié.

— Monty n'a rien ?

— Non, répliqua simplement Brianna, qui n'avait

aucune envie de débattre de l'état physique de son dragon avec Hortense.

La fille de Lord Torin s'écarta pour la laisser entrer, ainsi que Monty.

— Pauvre Brianna ! C'était ta dernière chance de te qualifier pour le Championnat Junior, n'est-ce pas ?

— Oui, répondit Brianna.

— J'imagine que tu as perdu tout espoir d'intégrer la patrouille, désormais. C'est tellement injuste. Et tout ça à cause de Cara.

Elle avait prononcé ce prénom avec une telle dureté qu'on l'aurait crue prête à mordre dedans. Brianna ne rétorqua rien. C'est alors qu'Hortense commit une erreur fatale.

Elle posa la main sur le bras de Brianna et susurra :

— Je voulais juste que tu saches que… si jamais tu as besoin d'une amie…

Brianna contempla la main d'Hortense avec dégoût, s'en dégagea aussitôt et fit face à la fille du Seigneur de Havremer avec une telle férocité dans les yeux que cette dernière recula d'un pas.

— Comprends-moi bien, Hortense. J'ai failli tuer ma meilleure amie. J'imagine qu'elle ne m'adressera plus jamais la parole. J'ai gâché ma dernière chance d'être Championne Junior et d'intégrer la patrouille de Galen. Alors, si tu veux savoir la vérité, je me sens plus bas que terre, à présent.

Elle agita alors un doigt vengeur juste sous le nez retroussé d'Hortense.

— Mais si tu crois que je suis tombée assez bas pour devenir ton amie, alors tu te trompes lourdement. J'ai fait la bêtise de t'écouter déverser ton fiel dans mes oreilles, alors que je savais qui tu étais : une petite garce sans foi ni loi, jalouse, méprisante, odieuse, qui n'a jamais un mot ni une pensée agréables pour quiconque !

Hortense, qui ne s'attendait pas à un tel tir de barrage, resta muette.

— Alors, maintenant, ma fille, je vais employer le seul langage que tu comprennes : DÉGAGE ! Et ne m'adresse plus jamais la parole. Va pleurer dans les culottes bouffantes de ton père et laisse-nous vivre en paix ! Oui, en paix !

Brianna inspira fortement et se tourna vers Monty.

— Est-ce que tu peux voler, ma choute ?

Monty poussa un petit cri de joie et frappa les pavés avec enthousiasme.

— Alors, en route, ma belle ! Je t'emmène quelque part où nous serons tranquilles, toi et moi.

Dans le lointain, elle entendit la clameur de la foule : le spectacle allait reprendre ses droits. Brianna ferma les yeux. L'écurie, la compétition, toutes ses craintes et ses ambitions lui semblaient bien lointaines, bien vaines aussi.

Elle se mit en selle, agita les rênes et, d'un battement de ses ailes puissantes, Monty s'éleva dans les airs, en direction du nord.

Lorsque Albéric arriva pour examiner Monty, il

découvrit que sa patiente s'était envolée. Il ne fut donc pas en mesure de signaler à Brianna les profondes entailles que les griffes de Voltefeu avaient creusées dans le cuir du harnachement de Monty...

Brianna et Monty gagnèrent rapidement la Baie du Peuple des mers et la dépassèrent pour survoler la lande jusqu'au Détroit du Home, le long bras de mer qui conduisait jusqu'à la capitale de l'île, La Pointe Sud. Elles le traversèrent et continuèrent à longer la côte. Bientôt, Brianna trouva ce qu'elle cherchait : une partie de falaise qui avait la forme d'une tête de parde.

— C'est ici, Monty. Personne ne viendra nous y chercher.

Elle orienta la tête de la dragonne vers une petite anse, dissimulée sur trois côtés par les falaises, qui n'était visible que depuis la mer.

C'est alors que la jeune dragonnière essuya les conséquences de son impéritie : trop pressée de s'arracher aux griffes d'Hortense, elle n'avait pas pris le temps de vérifier le harnachement de Monty...

La partie endommagée de la sangle ventrale qui maintenait la selle en place céda avec un craquement sec. Brianna fut saisie de panique. Elle tenta de se rappeler tout ce qu'on lui avait enseigné au sujet de situations d'urgence comme celle-là : il fallait détacher sa ceinture de sécurité, se débarrasser de la selle et monter à cru jusqu'à ce que le dragon puisse se poser en sécurité...

Oui, c'était bien ça. Brianna, dont les mains tremblaient, s'acharna sur les boucles avec nervosité. Juste au moment où elle détachait la dernière, la selle glissa du dos de Monty et les pieds de Brianna sortirent des étriers.

Pour ne rien arranger, les rênes d'oreilles lui furent arrachées des mains lorsque l'animal, victime d'un mauvais réflexe, se retourna pour constater que la selle n'était plus sur son dos…

Commença alors une longue chute vers les remous qui s'agitaient à l'entrée de la Grotte des soupirs.

17

— Je sais que ça fait mal, grand douillet, dit Cara. Mais il faut en passer par là.

À la lumière d'une lanterne, elle inspecta la contusion sur la patte avant gauche de Voltefeu et commença à l'humecter avec un chiffon dégoulinant.

— Albéric a dit que ça calmerait l'inflammation.

Elle avait passé tout l'après-midi à le soigner, indifférente aux épreuves qui se déroulaient sous des applaudissements mitigés. La foule n'appréciait guère d'être privée de deux des meilleures compétitrices et des célèbres pâtisseries de Gerda.

— Tu es encore là, Cara ? demanda Wilf, surgissant des ténèbres.

— Eh oui, je n'ai pas le choix, répondit Cara avec un sourire forcé.

Le jeune garçon attrapa un autre chiffon, le plongea dans le seau et s'affaira sur une autre blessure.

— Quelle journée ! observa-t-il tristement. D'abord, votre accident avec Brianna, et puis voilà que Frelon a fait des siennes, alors Wony est au trente-sixième dessous… Pas de rosette pour elle. Remarque, aucun de nos dragons n'a brillé. On dirait qu'ils se sont donné le mot…

— Tout est ma faute, je me sens tellement coupable, se lamenta Cara. La plus belle journée de l'année a tourné au désastre intégral, c'est ça ?

— Eh bien…

Wilf adopta une mine pensive.

— Je pense qu'on peut le présenter ainsi, en effet. Gerda est en état de choc, Madame Hildebrand a encore démissionné, ton père a passé la journée à présenter des excuses et à verser des indemnités et, pour lui remonter le moral, Lord Torin claironne à qui veut l'entendre que c'est la pire compétition à laquelle il ait jamais assisté.

— C'est ma faute, répéta Cara. Pauvre papa !

Wilf leva les yeux au ciel.

— Écoute, c'est tout autant la faute de Brianna. Mais si tu veux mon avis, celle qui est le plus à blâmer, c'est Hortense.

— Hortense ? Que vient-elle faire là-dedans ?

Wilf leva de nouveau les yeux au ciel, cette fois avec une exagération marquée.

— Je t'avais prévenue, pourtant. Mais ça n'a servi

à rien. Je t'ai dit qu'elle traînait sans arrêt à la Vallée et que ça ne me disait rien qui vaille. Même Gerda a entendu dire qu'Hortense vous avait dressées l'une contre l'autre.

Il adressa un regard sévère à Cara.

— Pourquoi t'es-tu sabordée, à la Tarasque ?

— Sabordée, moi ?

— Oh, n'essaie pas de le nier ! Tout le monde est au courant. Mais pourquoi l'as-tu fait ?

Cara sentit le rouge lui monter aux joues, jusqu'aux oreilles, avec un détour par le front.

— Parce que… parce que j'avais entendu Hortense raconter que si j'étais vraiment l'amie de Brianna, je devais la laisser gagner…

— Et tu crois vraiment qu'Hortense se soucie de savoir qui gagne un concours, excepté s'il s'agit d'elle ou d'une de ses amies ? Elle t'a parlé aujourd'hui ?

Cara hocha la tête.

— Oui, elle m'a dit que, selon Brianna, je virais trop tôt pendant le face-à-face de la mort. Que je cherchais à prendre le moins de risques possible… On a vu le résultat…

— Comme c'est bizarre, dit Wilf. Je l'ai surprise en train de tenir le même discours à Brianna…

— Et tu ne me l'as pas dit ?

Wilf se livra alors à une désopilante imitation de Cara en train de s'écrier :

— *Peut-être qu'elle est contente de voir Hortense*

traîner ses guêtres autour d'elle. Si elles veulent être amies, ça ne me regarde pas.

Cara sentit son estomac se nouer. Instantanément, elle comprit que Wilf avait raison. Hortense, telle une araignée venimeuse, avait tissé sa toile de mensonge, de tromperie et de manipulation, dans laquelle Cara et Brianna s'étaient laissé prendre comme des mouches…

— Je me suis comportée comme une idiote, n'est-ce pas ?

— On ne saurait mieux dire, répondit Wilf.

Il se pencha pour rincer son chiffon dans le seau.

— Au fait, j'allais presque oublier : ton père veut vous voir, toi et Brianna.

Cara soupira.

— Pauvre Brianna ! Ce que j'ai pu être idiote ! Veux-tu bien te charger de la prévenir ? Je termine avec Voltefeu.

Wilf se relevait lorsque Wony arriva, en proie à une vive émotion.

— Vous l'avez vue ? demanda-t-elle. Vous avez vu Brianna ?

Cara et Wilf échangèrent un regard perplexe.

— Elle n'est pas avec Monty ? s'étonna Cara.

— Peut-être bien, dit Wony. Mais je ne la vois pas non plus. Et personne ne les a vues depuis que le Maître lui a annoncé qu'elle ne participerait pas à l'épreuve sans faute.

— Mais c'était il y a des heures ! s'écria Cara. Où

est-elle passée? Si elle était allée se promener quelque part, elle serait déjà revenue. Avant la nuit.

Elle marqua un temps d'arrêt, réfléchit et secoua la tête.

— Elle ne resterait pas dehors une fois la nuit tombée. Il lui est arrivé quelque chose. Je file prévenir papa.

La Lune, aux trois quarts pleine, baignait la plage d'une lumière bleu argenté, illuminant les silhouettes d'une fille et d'un dragon, allongés l'un à côté de l'autre sur les galets. De la pointe de son museau, Monte-en-l'air donnait de petits coups à sa maîtresse, dans l'espoir d'obtenir de sa part une réponse.

Brianna ouvrit les yeux à moitié et repoussa la dragonne.

— Non, Monty, retourne dans ton box!

L'animal émit un délicat mugissement.

— Écoute, Monty… J'ai eu une journée difficile… Laisse-moi dor…

Soudain, la mémoire lui revint: le choc de l'eau glacée, comment elle s'était débattue, le soulagement lorsque sa tête avait enfin émergé, les cris désolés de Monty, qui décrivait des cercles au-dessus d'elle, la douleur de ses griffes lorsque la dragonne avait enfin vaincu sa peur de l'eau pour aller agripper sa maîtresse par l'épaule.

Brianna se mit en appui sur un coude.

Grave erreur.

Tous ses os et tous ses muscles étaient endoloris, mais son bras droit lui imposait une souffrance insoutenable. Elle se laissa retomber sur le dos et tenta de se relever en prenant appui sur le bras gauche. Pour se donner du courage, elle se répéta à l'envi : « Nous sommes vivantes ! Toutes les deux ! »

Une fois debout, elle caressa le museau de Monty, regarda autour d'elle et aperçut l'entrée de la grotte.

— Viens, Monty, c'est là que nous allons.

L'animal se leva péniblement et Brianna laissa échapper un cri d'horreur. Son aile gauche pendait lamentablement. Ses membranes étaient déchirées et le grand os de l'articulation semblait brisé.

— Oh, Monty ! Ma pauvre Monty !

Elle posa la tête contre le flanc de la dragonne et se mit à sangloter, en proie aux affres de la culpabilité.

Lorsqu'elle eut versé toutes les larmes de son corps, elle caressa le cou de l'animal et décida de relever la tête.

— Allons-y, Monty ! À l'intérieur, nous serons en sécurité, à l'abri des regards.

Au clair de lune, l'entrée de la grotte était sinistre et effrayante, même si elle conservait son aspect familier. Mais Brianna était déterminée. Elle avait manqué son atterrissage, mais elle avait atteint la bonne destination : la Grotte des soupirs.

Cara frappa à la porte du bureau de Huw et entra sans attendre d'y être invitée. Son père discutait avec

Galen. Mécontent d'être interrompu de la sorte, il fronça les sourcils.

— Cara ! Qu'est-ce qui te p... ?

— Papa ! Brianna a disparu.

Des rides se creusèrent sur le front du Maître des dragons.

— Qu'est-ce que tu dis ?

— Elle a disparu. Et Monty aussi.

Huw se pencha en avant, prenant appui sur son bureau.

— Raconte-moi tout ce que tu sais !

Cara expliqua la situation avec autant de clarté que son anxiété le lui permettait. Galen ne parut pas impressionné.

— Elle est probablement en train de faire la tête dans un coin, grommela-t-il. Ça va faire des semaines que ça dure... Elle disparaît pendant des heures !

Il secoua la tête.

— Typiquement féminin. Elle reviendra bien, ne vous inquiétez pas ! La faim fait sortir le péryton des bois...

Huw le gratifia d'un de ces regards glacés dont il avait le secret.

— Je ne prends pas à la légère le fait qu'une de mes élèves ne soit pas de retour à la nuit tombée. Que ce soit clair !

Galen soutint son regard quelques secondes, puis baissa les yeux.

— Envoie des messagers dans les autres haras. Il est

probable qu'elle aura trouvé refuge dans l'un d'entre eux.

Galen obtempéra sans discuter.

— Mais, Galen… si nous n'avons pas de nouvelles d'elle au lever du jour, la patrouille partira à sa recherche.

Au petit matin, une pluie fine tombait sur la Vallée des dragons. Le dernier messager venait de rentrer : aucun des autres haras n'avait recueilli Brianna.

Un simple hochement de tête de Huw suffit à Galen.

— Messieurs, allons-y ! Enfilez vos tenues de pluie. Chaque dragonnier doit avoir ses rations et ses fusées étanches. Dernière chose : si la visibilité est nulle ou si vous, ou votre dragon, êtes trop fatigués pour continuer les recherches, revenez ici. Je préfère une chiffe molle capable de reprendre l'air demain qu'un héros qui attrape la crève et doit garder le lit.

Certains des dragonniers prirent un air contrit.

— En selle ! ordonna Galen.

Un par un, les membres de la patrouille s'envolèrent. Du coin de l'œil, Huw aperçut alors Cara qui se dirigeait vers l'écurie en tenue de dragonnière.

— Ohé ! Où crois-tu aller, comme ça ?

— Je vais participer aux recherches… Papa, c'est ma faute si Brianna…

— Ton dragon n'est pas en état de voler, interrompit Huw.

— Mais papa… c'est mon amie !

— Dommage qu'il t'ait fallu si longtemps pour t'en souvenir. As-tu donc l'intention d'aggraver les blessures de ton dragon ?

Cara ne trouva rien à répondre. L'argument utilisé par son père était imparable.

— Alors, pour une fois, fais ce que je te dis. Tu n'iras nulle part aujourd'hui.

Cara passa toute la journée à se morfondre. Elle s'occupa de Voltefeu, qui reçut la visite d'Albéric. Ce dernier insista sur la nécessité pour le dragon de prendre du repos. Ensuite, Cara alla traîner dans la cuisine jusqu'à ce que Gerda, excédée, l'en renvoie.

Elle ne pouvait se concentrer sur rien.

Bien avant la tombée de la nuit, elle prit position dans la cour de l'écurie, assise sur la margelle du puits, où elle fut bientôt rejointe par Wony. Toutes deux scrutaient le ciel, dans l'attente de la patrouille.

Mais quand les hommes de Galen revinrent, les pires craintes de Cara se réalisèrent. Ils avaient cherché tout le jour, passant l'île au peigne fin, mais ils n'avaient trouvé aucun signe ni de la dragonnière, ni de sa monture.

18

Au moment de repartir à la recherche de Brianna, le lendemain matin, les membres de l'équipe de Galen échangèrent des regards pessimistes. Pendant la nuit, les conditions météorologiques avaient empiré. La pluie tombait plus drue, la visibilité s'en trouvait amoindrie. Et pour ne rien arranger, la brise commençait à forcir.

Cara attendit qu'ils aient tous disparu, revêtus de leurs cirés. Dès que la cour de l'écurie fut déserte, elle alla chercher Voltefeu dans son box. Il n'y avait pas une minute à perdre. Elle ne voulait pas prendre le risque d'être surprise par Madame Hildebrand ou, pire, par son père. C'est pourquoi elle tressaillit lorsqu'elle entendit :

— Où vas-tu, comme ça ?

Elle se retourna pour découvrir Wilf.

— Oh, ce que tu m'as fait peur ! Pourquoi es-tu debout si tôt ?

Le garçon d'écurie adopta l'expression d'un martyr.

— Debout si tôt ? Tu parles ! Je n'ai pas dormi de la nuit.

Il tendit ses doigts rougis, meurtris par des coupures.

— Albéric m'a réquisitionné pour l'aider à soigner les dragons qui avaient participé aux recherches. Ils sont épuisés, les malheureux. J'ai passé la nuit à étaler des onguents et à faire sécher des selles trempées.

— Oh… répondit Cara, quelque peu embarrassée.

Pour sa part, elle avait passé la nuit à dormir – ou, du moins, à essayer…

— Tu es censée voler aujourd'hui ? Je veux dire, Voltefeu est-il suffisamment en forme ?

— Tu ne vas pas t'y mettre aussi ! protesta Cara. Je l'ai examiné de près : il a encore quelques bleus et quelques bosses, mais c'est un costaud.

— Peut-être bien, mais tu ne devrais pas partir seule, mit en garde Wilf.

— J'ai une mission à accomplir. Surtout, pas un mot à mon père !

Malgré lui, Wilf acquiesça.

— Tu as ma parole.

— Merci. Et merci de ton aide…

Wilf haussa les épaules.

— Je ne peux pas monter un dragon, alors je fais ce que je peux.

Il se mit à bâiller en faisant aller et venir ses mâchoires de droite et de gauche.

— En tout cas, moi, je vais me coucher. Bonne nuit, Cara. Enfin, bonjour…

Cara le regarda s'éloigner, puis, sans perdre un instant, se mit en selle et agita les rênes. La dragonnière et sa monture s'envolèrent et ne tardèrent pas à disparaître à travers le linceul de bruine qui endeuillait le ciel.

Brianna contemplait la marée descendante depuis la plage, un bras passé autour du cou de Monty. Elle passait en revue les diverses options qui s'offraient à elles.

Elles pouvaient attendre qu'on vienne les sauver. Mais personne n'avait la moindre idée d'où elles pouvaient se trouver. De plus, la Grotte des soupirs était l'un des endroits les moins fréquentés de la côte et on distinguait à peine la plage depuis le ciel.

Escalader la falaise ? Il ne fallait même pas y penser. Le bras de Brianna la faisait beaucoup trop souffrir et, sans le secours de son aile gauche, Monty était complètement invalide.

Nager ? Hors de question. Monty avait encore plus peur de l'eau qu'avant et Brianna ne savait pas nager.

Elle avait beau retourner la question dans tous les sens, l'avenir se présentait mal. Il leur faudrait se nourrir, trouver suffisamment d'eau fraîche pour Monty et la soigner – algues et eau de mer feraient l'affaire pour les blessures superficielles, mais pas pour l'os brisé.

Le problème le plus immédiat, toutefois, leur serait posé par la marée. Brianna n'était pas fille de pêcheur pour rien. Elle savait comment fonctionnait la mer. L'amplitude des marées était la plus forte pendant la pleine lune et à la nouvelle lune. Le matin même, l'eau avait déjà repoussé Monty et Brianna jusque dans la grotte. Brianna avait eu de l'eau jusqu'à la taille. Or, la lune serait pleine le lendemain...

En outre, par gros temps, la force des marées était décuplée. La combinaison de ces deux facteurs signifierait que l'eau envahirait la grotte. Brianna refusa de songer aux conséquences...

À la place, elle se tourna vers Monty et lui demanda, d'un ton enjoué :

— J'espère que tu aimes les moules ? Parce que c'est tout ce qu'il y a à manger, par ici. À moins que tu ne préfères les bulots ?

Monty poussa un petit glapissement d'envie.

— Non, grosse bête ! Je n'ai pas parlé de « mulots »...

C'est alors qu'elle aperçut le dragon. Il volait juste au-dessous des nuages, au milieu de la grisaille humide. L'instant d'après, il avait disparu, dissimulé aux regards par la paroi rocheuse. Mais Brianna joignit aussitôt les mains devant sa bouche et appela de toutes ses forces.

— Ohéééé !! Nous sommes là ! Ici, juste au-dessous de vous ! Àᴀᴀᴀ l'aiiiiiiiiiiiide !

Àᴀᴀᴀ l'aiiiiiiiiiiiiide ! répondit l'écho.

— Monty ! Ils sont à notre recherche ! s'exclama Brianna en pointant un doigt vers le ciel. Appelle-les !

Pendant un moment, la dragonne ne sembla pas comprendre. Mais lorsque Brianna se remit à crier « Nous sommes iciiiiiiii ! À l'entrée de la groooooooootte ! », Monty souleva sa lourde tête et se mit à trompeter à tue-tête.

Mais elle s'égosilla en vain. Le dragon apparut encore une fois, plus haut dans le ciel, plus éloigné aussi. Sa silhouette était presque imperceptible dans la grisaille. Monty redoubla d'efforts et Brianna hurla à s'en écorcher la gorge… jusqu'à ce que le dragon disparaisse.

Monty laissa retomber sa tête sur les galets. Quant à Brianna, elle se mit à genoux et sanglota.

Lorsque Cara revint de son expédition, le soleil se couchait. Elle se sentait vidée. Elle avait sillonné les flancs du Mont Tête-de-nuage, scrutant chaque anfractuosité, chaque pente et chaque ravine, mais elle n'avait rien aperçu d'autre qu'une troupe de pérytons et quelques faucons empereurs.

Galen et ses hommes étaient déjà de retour. Les portes des box de leurs dragons étaient fermées et elle percevait des voix à l'intérieur de la maison.

Soudain, elle entendit un battement d'ailes et se retourna juste à temps pour voir se poser tant bien que mal un petit dragon dans la cour de l'écurie.

— Wony ! Qu'est-ce que tu fabriques sur Frelon à

cette heure-ci ? Ne me dis pas que tu t'étais perdue, toi aussi !

— Pas du tout, répondit la fillette avec aplomb. Nous étions partis à la recherche de Brianna.

— Par ce temps ? ! Tu es tombée sur la tête ! Frelon est bien trop jeune. Et s'il t'était arrivé quelque chose, y as-tu songé ? Nous aurions deux dragonnières à rechercher.

Les lèvres de Wony tremblaient.

— Tu n'étais pas censée sortir seule non plus, il me semble ? rétorqua-t-elle. Et je voulais seulement aider…

— Je sais, mais…

Rien ne servait de morigéner Wony. Celle-ci avait raison, de toute façon : Cara avait pris les airs sans permission et son père devait être furieux.

— Allez, viens ! Allons desseller Frelon… J'imagine que tu n'as pas repéré Brianna ?

Wony secoua la tête avec dépit. Elles entraînèrent Frelon vers son box.

— Je commence à me dire que nous ne cherchons peut-être pas au bon endroit. Mon père a tout de suite pensé qu'elle s'était rendue dans un autre haras, mais pourquoi aurait-elle fait ça ? Elle ne serait pas non plus retournée chasser après l'accident. Alors, où a-t-elle bien pu aller ? Ni La Varenne, ni le Mont Tête-de-nuage, ni La Pointe Sud, certainement pas du côté de la Tarasque…

Cara ne savait que penser.

— Si tu étais contrariée, Wony, où irais-tu trouver refuge ?

— J'irais à la mer, répondit aussitôt Wony. J'aime les vagues et le cri des mouettes.

— La mer… Bien sûr…

Cara se rappela le jour où les deux amies s'étaient rendues à la Crique aux remous. Brianna ne s'entendait pas avec sa famille et s'était fâchée avec les pêcheurs, mais elle avait vécu une partie de son enfance à la mer…

— … Quel endroit des côtes aurait-elle choisi ? Ce ne sont pas les côtes qui manquent à Havremer.

Elle détacha la sangle ventrale de Frelon et s'arrêta net.

— Si elle est effectivement allée sur la côte, peut-être que quelqu'un du Peuple des mers l'aura aperçue ! Ronan pourra me le dire !

Elle avait prononcé ces dernières paroles d'une voix ferme et décidée.

— J'irai le trouver dès demain matin.

La masse de Monty remplissait presque entièrement la grotte.

Il faisait sombre. Les parois tremblaient sous les impacts répétés des rouleaux. Cette marée était la plus forte depuis l'arrivée des deux naufragés des airs.

L'eau pénétrait à l'intérieur de la grotte, contraignant Brianna à prendre de plus en plus de hauteur pour rester hors d'atteinte. Lorsqu'une grosse vague arrivait, elle et Monty avaient de l'eau jusqu'au cou.

La dragonne poussait de petits gémissements de terreur. Quant à Brianna, elle frissonnait de froid, mais aussi de peur. Elle n'en caressait pas moins constamment le museau de Monty, lui murmurant des mots apaisants et des encouragements.

— Ils vont venir, Monty, ils vont venir nous chercher. Ils vont nous retrouver, tout se passera bien, tu verras.

Brianna vit défiler les souvenirs de sa virée à la Crique aux remous, le jour où Cara l'avait sauvée des eaux. Malheureusement, cette fois, aucune amie ne venait à son secours.

— Oh, Cara, se lamenta-t-elle à mi-voix. Où es-tu ? Je regrette. Je regrette tant… Viens vite, s'il te plaît, viens vite !…

19

Le lendemain matin, les équipes de recherche se remirent en route dès le lever du soleil. Bien que la bruine des jours précédents ait cédé la place à des bourrasques, tous les dragonniers et toutes les montures en état de voler avaient été réquisitionnés.

Les membres permanents de la patrouille de Galen avaient été placés chacun à la tête d'une équipe. Après avoir dûment tancé Cara parce qu'elle était sortie la veille sans permission, Huw avait accepté à contrecœur qu'elle se joigne, ainsi que Wony, à l'escadrille de Mellan, qui allait survoler la région la plus proche de la Vallée des dragons, les collines entre la Baie du Peuple des mers et le Détroit de la Combe. Galen et Tord iraient plus au nord et Huw n'était pas persuadé que Voltefeu possédait la résistance voulue pour un si long périple.

Cet arrangement convenait parfaitement à Cara. L'équipe de Mellan n'était pas plus tôt arrivée aux abords de la Baie du Peuple des mers qu'elle demanda à Mellan l'autorisation d'aller interroger Ronan. Mellan prit un air inquiet.

— Je ne sais pas, Cara… Galen n'aime pas que les dragonniers partent tout seuls de leur côté…

— Je n'en aurai pas pour longtemps, implora Cara. Il faut que je sois seule, sinon Ronan ne se montrera pas. S'il te plaît !

Mellan poussa un gros soupir. La fille du Maître des dragons était aussi persuasive que son père.

— J'aurai sans doute des ennuis avec Galen… mais ça ne changera pas beaucoup. Oh, d'accord, vas-y !

— Merci, Mellan ! Je te revaudrai ça !

Elle fit aussitôt virer Voltefeu et descendit jusqu'à la plage. Là, elle le fit se poser sur un rocher et lui demanda de frapper l'eau de sa queue pour alerter Ronan. Celui-ci apparut comme promis, au troisième coup de queue.

Mais lorsque Cara lui eut expliqué la situation, sa réponse ne fut guère encourageante.

— Ton amie n'est pas dans la baie. Si elle s'y trouvait, les miens le sauraient. Brianna et son dragon des airs ne sont jamais venus ici. Désolé.

— Elle est peut-être allée ailleurs ? Là où le Peuple des mers ne va jamais ?

— Possible, concéda Ronan.

Je pourrais demander aux dauphins et aux marsouins… mais je ne comprends pas toujours leur langage. Et il existe des endroits où même eux ne s'aventurent pas.

Ronan réfléchit un instant, puis contempla le ciel.

— Écoute, Cara, je veux bien t'aider dans tes recherches. Mais le temps se gâte et il y aura une tempête ce

soir. Il faut que je conduise Mordannsair et mon troupeau vers des eaux plus profondes. Sinon, en cas de raz de marée, ils seraient emportés. Ce soir, ce sera la marée la plus forte de la saison. Si ton amie est coincée quelque part en bordure de mer…

Buvant chacune de ses paroles, Cara le fixait avec des yeux anxieux.

— … en admettant qu'elle ait survécu jusqu'à maintenant…

Cara redoutait ce qui allait suivre.

— … si nous ne la trouvons pas avant le coucher du soleil, j'ai bien peur que nous ne parvenions pas à la sauver.

La marée du matin avait été encore plus forte que la précédente. L'eau avait atteint un niveau si élevé à l'intérieur de la grotte que Brianna et Monty n'avaient dû leur survie qu'à une poche d'air, tout au fond de la grotte. Mais lorsque la mer s'était retirée, l'air y était tellement vicié que Brianna s'était presque évanouie.

Elle était trempée jusqu'aux os, avait le cœur au bord des lèvres, et pouvait à peine lever le bras droit au-dessus du niveau de son épaule, mais elle n'avait pas aperçu d'autre dragon et la marée du soir leur serait sans doute fatale. Il n'y avait pas d'autre issue que de tenter l'escalade de la falaise.

— Viens, Monty, suis-moi !

Brianna grimpa sur un rocher situé à la base de la falaise et tendit la main vers un point d'appui. La douleur qu'elle ressentit alors dans le bras lui arracha un cri, mais elle serra les dents et attendit que le feu s'apaise. Puis, avec une lenteur calculée, elle se hissa jusqu'à une autre prise.

Monty la regardait monter avec inquiétude et poussait des cris de reproche : Comment ? Brianna allait l'abandonner là ? À la fin, n'y tenant plus, la dragonne s'arc-bouta sur ses pattes de derrière, planta ses serres dans la roche et entama l'ascension à son tour.

Même un alpiniste expérimenté aurait trouvé cette falaise abrupte, *a fortiori* une enfant et une dragonne blessées. Elles progressaient avec une lenteur éprouvante. Chaque fois que Monty plantait ses griffes dans la roche pour prendre appui, puis qu'elle s'élevait, des pierres roulaient au bas de la falaise. La roche s'effritait sous son poids.

Brianna regarda au-dessous d'elle. Monty se trouvait à une longueur de dragon.

— Vas-y, ma belle ! Tu peux y arriver ! Tu te débrouilles très bien.

La dragonne leva les yeux vers sa maîtresse et c'est alors qu'elle lâcha prise. Elle essaya bien de battre des ailes, pour ralentir sa chute, mais son aile gauche ne lui fut d'aucun secours. Elle partit à la renverse sous un déluge de pierres.

— Moonty !!

Le hurlement de Brianna se répercuta sur les falaises. Elle entreprit aussitôt de redescendre, manquant elle-même dégringoler dans sa hâte d'aller secourir la dragonne.

Elle s'arrêta un instant pour reprendre son souffle et faire le point de la situation : si elle tombait, elle ne serait guère utile à Monty. Il fallait qu'elle se calme. Qu'elle procède avec la plus grande prudence. Qu'elle prenne son temps.

Au terme de ce qui lui sembla durer une éternité, elle regagna la plage et se précipita vers Monty, qui gisait sur le sol, complètement sonnée par sa chute.

La dragonne se força à ouvrir un œil et poussa un petit gémissement en apercevant sa maîtresse.

— Oh, ma pauvre petite ! Je suis vraiment désolée de t'infliger tout ça. Mais il va falloir te relever, pour que je puisse t'examiner.

Monty ouvrit l'autre œil et, tout en renâclant, obtempéra. Brianna chercha quelque nouvelle blessure – « pourvu qu'elle ne se soit pas cassé un autre os ! » songeait-elle – mais les dragons étaient bâtis pour supporter les mauvaises chutes et celle-ci n'avait pas été si terrible.

Il n'en restait pas moins que Monty ne parviendrait jamais à escalader la falaise… Brianna pourrait sans doute parvenir à mi-hauteur, mais l'ascension serait ensuite encore plus risquée, car l'abrupt était quasiment à la verticale et, à vue d'œil, les points d'appui ne devaient pas être très nombreux.

Si elle tombait et se brisait le cou, Monty resterait seule pour affronter les éléments. Et même si elle parvenait au sommet de la falaise, à la réflexion, que ferait-elle ? Les fermes et les villages les plus proches se trouvaient très à l'intérieur des terres. Les collines étaient infestées de chiens de feu, de hurleurs et même de pardes…

Restait la solution consistant à s'accrocher à la roche et à attendre, sous les assauts du vent, de la pluie et des vagues, que la marée redescende. Il faudrait tenir pendant au moins quatre heures et Brianna ne s'en sentait pas capable. Elle savait que Monty ne tiendrait pas le choc non plus.

Le soleil déclinait, inexorablement. La nuit tomberait bientôt.

— Ce n'est pas la peine, Monty… Si nous devons mourir, au moins, nous serons ensemble.

Mellan mit un terme aux recherches lorsque Wony lui fit savoir qu'elle devait atterrir d'urgence. Il conduisit son équipe jusqu'à une grange abandonnée qui servait d'abri aux quines qui pâturaient en hiver dans ces parages inhospitaliers.

Wony faillit tomber de Frelon, aussi Cara se précipita-t-elle vers la fillette.

— Je suis désolée, Cara, dit Wony. C'est Frelon… Il est exténué. Il a besoin de se reposer…

— On dirait que tu en as besoin, toi aussi.

Obéissant à un signe de tête de Mellan, Cara conduisit sa jeune amie et son dragon à l'intérieur de la grange et leur fit une place douillette dans le foin fraîchement coupé.

— Défense d'éternuer ! ordonna Cara à Frelon. Tu réduirais cet endroit en fumée…

Pendant ce temps, à l'extérieur, Mellan avait réuni les autres membres de l'équipe.

— Nous sommes d'accord, alors. Nous sommes tous rincés, gelés, affamés et trempés. Il ne servirait à rien de rester ici.

Tous les autres hochèrent la tête.

— Mellan ? appela Cara depuis la grange. Je voudrais juste aller m'assurer que Ronan n'a pas reçu de nouvelles de Brianna. Cela ne prendra que quelques minutes.

Des grondements peu amènes s'élevèrent parmi les autres membres de l'escadrille.

— Écoute, Mellan, reprit Cara. Pourquoi ne rentrez-vous pas ? Je vais aller voir Ronan vite fait, puis je reviendrai chercher Wony et nous rentrerons ensemble.

Mellan se gratta la tête de ses doigts gelés.

— Hum… Galen va sans doute me passer un savon… mais j'imagine que tu as raison. Allez, les gars, on y va !

Une fois les dragons envolés, Cara retourna voir Wony dans la grange pour la prévenir qu'elle allait s'absenter. Elle la trouva en larmes.

— Je suis t… tellement dé… désolée… Frelon ne p… pouvait pas cont… inuer…

— Ne t'en fais pas, c'est normal. Mellan allait mettre

292

un terme aux recherches pour aujourd'hui, de toute manière. Il fait déjà nuit. Tu devrais dormir un peu.

Wony renifla.

— Je n'ai pas sommeil.

— Eh bien, reste allongée, alors. Essaie de te détendre.

Wony s'enroula sur elle-même en se servant de son bras comme d'un oreiller.

Un souvenir revint alors frapper Cara avec une acuité extraordinaire. Une nuit, dans la cuisine de la Vallée des dragons, peu de temps après la mort de sa mère… Cara pleurait dans sa chambre et Gerda était venue la chercher. Elle l'avait portée jusqu'à la cuisine et lui avait servi un bol de soupe bien chaude.

Puis Cara s'était blottie dans le giron de Gerda. Les ombres produites par les flammes dans la cheminée dansaient sur les murs. Deux wivernes, Tikeli et Arc-en-ciel – les ancêtres de celles qui résidaient désormais dans la cuisine –, étaient enroulées au pied de l'âtre.

— Le feu crépite, avait dit Gerda en démêlant les cheveux de Cara. Le monde tourne et demain sera un autre jour.

Le souvenir de la berceuse que lui avait chantée Gerda ce soir-là lui revint en mémoire et elle se mit à chanter doucement, tout en caressant les boucles dorées de Wony :

— Oh, ma dormeuse,
Mon petit, ne pleure pas,

293

Cette berceuse,
Écoute dans mes bras,
Oublie tous tes soucis,
Car quand tombe la nuit,
Viennent tous les dragons
Entonnant une chanson
Ils font avec leur lyre
Tous les malheurs s'enfuir.

Oh, ma dormeuse,
Mon petit, ne pleure pas,
Cette berceuse,
Écoute dans mes bras.

Les yeux de Wony se fermèrent. Cara arrêta de lui caresser les cheveux et, tout en se relevant, continua de chanter…

Oh, ma dormeuse,
Mon petit, ne pleure pas,
Cette berceuse,
Écoute dans mes bras.

Frelon lui-même avait cédé à l'appel du sommeil. Le calme régnait à l'intérieur de la grange.

Mais soudain, Cara s'écria :

— C'est ça, bien sûr !

Wony se réveilla en sursaut.

— Hein ? C'est ça quoi ?

— C'est ce dont j'essayais de me souvenir. Ce que Brianna m'a dit, quand nous sommes allées à la Crique aux remous, au sujet d'un endroit qu'elle connaissait. Elle l'a appelé la Grotte des soupirs. Tu ne comprends pas ?

Cara se leva et entama une danse de joie, qui eut pour effet de tirer Frelon de son assoupissement.

— C'est là qu'elle est allée se réfugier, j'en suis certaine. C'est parfait quand on est malheureux : il paraît qu'on y entend la mer pleurer...

Wony et Frelon échangèrent des regards médusés. Cara fit encore deux tours sur elle-même puis s'arrêta brutalement.

— Oh, mais il y a un hic... C'est que j'ignore où se trouve cette grotte...

Wony secoua la tête.

— Ma pauvre Cara, tu es bien fatiguée, décidément. Pourquoi ne le demandes-tu pas à Ronan ?

Cara la contempla bouche bée.

— Wony, c'est une idée de génie. Bien sûr qu'il doit le savoir !

— Alors, qu'attendons-nous ? demanda Wony.

— Pas question ! répliqua vivement Cara. Toi et Frelon, vous restez ici.

— Pas question ! s'écria Wony sur le même ton. Les chasseurs doivent toujours être trois, tu ne l'as pas oublié ? C'est ce que Galen a expliqué à Brianna. Alors, toi, moi et Ronan, ça fait trois.

— Mais... et Frelon ?

— Oh, ça va aller. Il avait juste besoin de faire une pause, hein, mon gros bébé ?

Frelon gazouilla d'aise et se releva, d'attaque pour une autre expédition.

— Alors, en route ! lança Cara. Il n'y a pas une minute à perdre.

À l'extérieur, le soleil venait de disparaître derrière les collines de l'ouest. Le ciel mauve était strié de traînées orange vif et rouge sang. Le vent sifflait et s'efforçait d'arracher les portes de la grange lorsque Cara et Wony firent sortir Frelon.

Quelques secondes après, les deux dragonnières et leurs montures s'élancèrent dans le ciel en proie au déchaînement des éléments et se frayèrent un chemin en direction du nord-est, portées par la tempête.

20

Le vent soufflait si fort que Cara avait du mal à rester en équilibre sur son rocher. Voltefeu frappa de sa
queue les vagues furieuses, ourlées d'écume, et Ronan
ne tarda pas à faire son apparition.

— J'ai cherché toute la journée, rapporta-t-il, mais
je n'ai pas trouvé trace de ton amie, Cara. Désolé…

— Je crois que je sais où elle est ! À la Grotte des
soupirs. Tu connais cet endroit ?

Le jeune berger prit un air catastrophé.

— Euh… oui… c'est au nord du Détroit de la
Combe.

Il devait crier pour couvrir le raffut des rouleaux et de
la tempête, auquel se mêlaient les cris des mouettes.

— Mais c'est un lieu terrible, le repaire des lions de

mer et des phoques-léopards. Les gens du Peuple des mers ne vont jamais traîner par là-bas.

Ronan leva les yeux vers le ciel, puis contempla les vagues immenses avec inquiétude.

— La tempête fait rage. Il faut que j'aille aider mes frères à conduire nos troupeaux dans des eaux plus profondes…

— S'il te plaît, Ronan !

Le berger se retourna encore une fois en direction de l'horizon, complètement bouché, et secoua la tête, résigné.

— D'accord. Mais c'est loin, et la mer monte. Lorsqu'elle sera haute, elle envahira la grotte, et si ton amie est piégée à l'intérieur…

— Peux-tu nous y conduire à temps ?

— Mordannsair le peut. Attendez ici.

Ronan plongea au cœur des vagues. Wony ouvrit grand la bouche de stupéfaction, ce qui lui valut d'avaler un gros paquet d'embruns.

— Co… comment… il a fait… ? Mais… ce n'est pas… possible…, balbutia-t-elle en toussant.

Mais Cara ne l'écoutait pas. Elle était en train de mettre au point un plan de bataille. Il fallait faire vite, décider sur-le-champ, ne pas tergiverser.

— Wony, fit-elle d'une voix déterminée. Remets-toi en selle et rentre à la Vallée. Explique à Galen où nous allons.

Le visage de Wony, pourtant fouetté par ses boucles dorées, devint livide.

— Mais je veux vous accompagner !

— C'est trop loin, répondit Cara, et nous devons faire le plus vite possible. Frelon ne tiendra pas la distance, pas avec ce vent. De plus, il me faudra sans doute de l'aide pour sauver Brianna. Ce que tu peux faire de mieux, c'est aller prévenir la patrouille. Rappelle-toi les paroles de Galen, que tu m'as répétées toi-même tout à l'heure ! Une qui reste, une qui va chercher du secours.

Réprimant ses larmes, Wony acquiesça.

Cara posa les mains sur ses épaules.

— Tu te rappelles l'itinéraire à suivre ?

Wony répéta ce qu'avait dit Ronan, Cara la serra dans ses bras et lui souhaita bonne chance.

Ce fut une course échevelée jusqu'à la Grotte des soupirs. Serrant de toutes ses forces les quartiers de sa selle entre ses cuisses, Cara admirait la grâce aérienne de Ronan sur Mordannsair. On aurait dit deux ombres qui glissaient sous les vagues. De temps à autre, ils émergeaient et décrivaient un arc au-dessus de l'eau, comme en suspension dans l'air, puis disparaissaient de nouveau dans les éclaboussements de la houle.

Cara et Voltefeu étaient ballottés par le vent comme des feuilles mortes à l'automne. Cette course contre la tempête et la marée semblait interminable à Cara. Épuisée, contusionnée, engourdie par l'effort, elle finit quand même par repérer une petite bande de terre

sombre sur sa gauche. Ronan et Mordannsair obliquè-
rent vers la plage.

C'est alors que Cara entendit une plainte sinistre qui
montait dans la nuit, parfaitement audible en dépit du
tumulte ambiant. Elle provenait à coup sûr de la Grotte
des soupirs. C'était une sombre mélopée, qui évoquait
le sort de toutes les âmes qui avaient succombé à la
puissance de la tempête.

C'était la mer qui pleurait.

Cramponnée au cou de Monty, Brianna regardait l'eau
glacée monter autour d'elles. La longue plainte lanci-
nante qui gagnait en intensité à chaque minute réveillait
en elle le souvenir de ses terreurs enfantines, peuplées
de sorcières, de spectres et de croque-mitaines.

Elle n'avait aucun moyen de comprendre l'origine de
ce sinistre chant : une longue fissure dans la roche, qui
serpentait depuis le fond de la grotte jusqu'au sommet
de la falaise, bien trop étroite pour qu'on puisse se
glisser à l'intérieur. Chaque fois que le niveau de l'eau
montait dans la grotte, une colonne d'air était expédiée
dans ce tuyau, semblable à celui d'un orgue, qui produisait cette sonorité fantomatique.

Tout ce qu'elle savait, c'est qu'elle et Monty allaient
être englouties d'un moment à l'autre. Rien ni personne
ne pourrait plus les sauver.

Mais Brianna ressentait un calme étrange à la perspective de mourir.

Des formes sombres firent leur apparition dans l'eau au voisinage du dragon de mer. L'espace d'un instant, Cara crut qu'il s'agissait de l'ombre des nuages, mais elle se rendit vite compte que les formes en question se déplaçaient indépendamment les unes des autres, et pas toujours dans la même direction. Par petites grappes de trois ou quatre, elles s'approchaient de Mordannsair, jaillissaient hors de l'eau et lui mordillaient les nageoires, telles des pardes ou des quines.

Cara devina qu'il s'agissait des lions de mer et des phoques-léopards évoqués par Ronan. La saison de la chasse était ouverte et le berger et son dragon de mer constituaient des proies rêvées. Mordannsair avait beau multiplier les sauts hors de l'eau, les prédateurs le suivaient comme son ombre.

Cara sentit d'abord un mélange de crainte et de culpabilité monter en elle : ces monstres étaient si nombreux... et Ronan et Mordannsair devaient les affronter à cause d'elle.

Mais lorsqu'elle entendit la fameuse plainte qui montait de la Grotte des soupirs, elle fut saisie d'une rage incontrôlable. Juste au moment où ils allaient tenter d'arracher Brianna à sa prison aquatique, ces bestioles repoussantes passaient à l'attaque pour les en empêcher.

— Ah non, pas question ! s'exclama-t-elle. Voltefeu, règle-leur leur compte ! Pas de quartier !

Le dragon ne se fit pas prier. Il fondit droit sur un premier groupe d'une dizaine de ces êtres nuisibles et attendit qu'ils surgissent des vagues.

Le chasseur venu du ciel déchaîna alors toute sa puissance face aux chasseurs venus de la mer. Voltefeu ouvrit grand la gueule et propulsa une énorme flamme qui vint leur lécher le cuir. L'océan s'embrasa d'un coup.

Hurlant de douleur et se débattant dans les flammes, les prédateurs terrifiés abandonnèrent toute velléité de poursuite et s'enfoncèrent dans les profondeurs, hors d'atteinte des langues de feu meurtrières.

Voltefeu vira sur la droite et décrivit un cercle parfait avant d'incendier un autre groupe de ces bêtes immondes, qui s'étaient acharnées sur le flanc de Mordannsair quelques secondes plus tôt.

Le dragon de mer ralentit l'allure, cependant que Ronan levait un bras en guise de remerciement adressé à Cara. Elle distinguait désormais très nettement le rocher en forme de tête de parde que le berger lui avait décrit.

Cara fit virer Voltefeu et ils effectuèrent plusieurs passages devant l'étroite ouverture dans la falaise, mais sans repérer aucun signe de vie.

Voltefeu s'en alla tournoyer au-dessus de Mordann-sair.

— Elles ne sont pas là ! hurla Cara.

— Elles sont peut-être prises au piège à l'intérieur de la grotte, répondit Ronan. Attends !

Mordannsair plongea dans les flots déchaînés. Quelques instants plus tard, il réapparut, plus près du rivage, et seul. De longues secondes s'écoulèrent, pendant lesquelles Cara eut toutes les peines du monde à faire tournoyer Voltefeu sans qu'il parte en vrille sous l'assaut des bourrasques.

Enfin, Ronan émergea des vagues. Il cria quelques mots qui se perdirent dans le tohu-bohu des éléments. Cara leva les mains pour lui indiquer qu'elle n'entendait pas. Ronan hocha la tête plusieurs fois avec énergie et lui fit signe de s'approcher.

Cara sentit alors son cœur bondir à l'intérieur de sa poitrine. Il ne pouvait vouloir dire qu'une seule chose... Qu'il avait retrouvé Brianna et Monty vivantes !

Elle n'hésita plus. Elle indiqua à Voltefeu de venir se placer juste au-dessus de l'endroit où Ronan était ballotté par les rouleaux, puis elle ôta sa lourde veste et ses bottes de cuir, détacha sa ceinture de sécurité et la boucle qui la reliait à la longe, inspira fortement, passa la jambe droite par-dessus le cou de Voltefeu et se jeta à l'eau.

21

L'eau était glacée. Les vagues secouaient Cara comme un fétu de paille. De l'eau salée et des algues entraient dans sa bouche. Elle se débattait furieusement. Elle allait se noyer.

Ronan apparut alors, l'arrachant à cette gangue, l'enveloppant de toute sa puissance.

— Cara, mais qu'est-ce que tu fais ? Tu n'es pas dans ton élément, voyons ! Je te l'ai déjà dit, pourtant…

Lorsqu'il l'eut déposée sur la plage, elle lui répondit :

— Je le sais bien… !

Elle recracha de l'eau de mer et se mit à tousser.

— … Mais je n'aurais rien pu faire pour Brianna depuis le ciel ! Est-ce qu'elle est dans la grotte ? Et Monty ? Elles vont bien ?

— Oui, elles sont à l'intérieur. Mais la marée monte…

— Peux-tu les faire sortir de là ?

— Je ne sais pas. J'ai nagé à l'intérieur et j'ai salué ton amie… mais elle m'a pris pour un fantôme !

— Hein ? Comment ? Mais pourquoi ?

— Je l'ignore. Je lui ai demandé de venir avec moi, mais elle m'a répondu qu'elle ne pouvait pas abandonner son dragon du ciel.

— Conduis-moi jusqu'à elle !

— Comme tu veux !

Cara passa les bras autour des épaules de Ronan. Presque sans effort, il l'entraîna vers la grotte et s'arrêta à quelques longueurs de dragon de l'entrée.

— À partir d'ici, nous devrons nager sous l'eau, sinon nous risquons de nous fracasser contre les rochers. Ce sera long pour toi, j'en ai peur.

— J'y arriverai, répondit courageusement Cara.

Puis, à mi-voix, elle ajouta :

— Tant que tu seras avec moi.

— Respire profondément, commanda Ronan.

Cara inspira et expira à plusieurs reprises, puis le berger ordonna :

— Maintenant !

Elle inspira de toutes ses forces et ils se retrouvèrent sous l'eau. Tout était sombre, les oreilles de Cara bourdonnaient, elle se laissa emporter par la puissance du berger du Peuple des mers.

Il s'enfonçait toujours plus profondément dans l'eau.

Les poumons de Cara commençaient déjà à la brûler. La pression diminua dès qu'ils pénétrèrent dans les ténèbres de la grotte, mais Cara devait absolument respirer. La tête lui tournait. Elle ne tiendrait pas une seconde de plus. Son corps allait exploser.

Soudain, sa tête émergea de l'eau et elle inspira une énorme goulée d'air. Puis une autre. Puis une troisième. Elle se rendit alors compte que cet air empestait l'haleine de dragon…

— Cara ?

Il faisait noir comme dans l'un des fours de Gerda mais la voix de Brianna était identifiable entre toutes.

— Cara, tu es venue !

Les deux amies se cherchèrent de la main et s'étreignirent dans l'obscurité.

— Tu n'aurais pas dû venir. L'eau nous aura englouties d'un instant à l'autre. Je suis désolée, Cara, tout est ma faute.

— Tais-toi donc ! Ronan est là pour nous aider. Comment va Monty ?

— Elle a une aile cassée, elle ne pourra jamais…

— Je comprends, interrompit vivement Cara. Bon, il faut que nous te sortions d'ici.

Brianna s'arc-bouta.

— Je ne partirai pas d'ici sans elle.

— Sois raisonnable ! Tu veux périr noyée avec elle ? C'est insensé, enfin !

— Ma décision est sans appel, persista Brianna.

C'est moi qui ai entraîné Monty dans cette galère, il est hors de question que je l'abandonne.

Cara réprima un cri de protestation. Elle ne pouvait pas les sauver toutes les deux. C'était impossible. Monty était terrifiée par la mer, et elle ne survivrait jamais à la tempête. De plus, avec une aile brisée, elle ne parviendrait pas à escalader la falaise.

À moins que…

À moins de lui trouver une paire d'ailes de rechange.

— J'ai un plan ! s'écria Cara. Ronan ? Peux-tu me reconduire jusqu'à Voltefeu ?

— Euh… Oui, bien sûr. Mais ne devrions-nous pas… ?

Le berger des mers commençait à comprendre que sa nouvelle amie possédait une force de persuasion hors norme.

— Je reviens tout de suite, lança Cara à Brianna.

Et sans attendre de réponse, elle plongea dans l'eau, accompagnée de Ronan.

Le voyage en sens inverse ne fut pas aussi pénible que le premier car, cette fois, Cara savait d'expérience qu'elle arriverait de l'autre côté vivante.

Une fois ressortie de l'autre côté, grâce à une impulsion de ses jambes, elle fit émerger son corps au-dessus de l'eau aussi haut que possible pour attirer l'attention de Voltefeu.

Le dragon la reconnut et, à son signal, il vint se poser sur l'eau à la manière d'un cygne – les pattes de devant en premier, ailes repliées et pattes de derrière remuant sous l'eau comme celles d'un canard.

Ronan n'en croyait pas ses yeux.

— Je ne savais pas que les dragons du ciel pouvaient nager. Je croyais qu'ils avaient peur de l'eau.

— Pas Voltefeu, répondit Cara, qui rejoignit sa monture avec l'aide de Ronan.

Une fois parvenue à hauteur du dragon, elle lui expliqua ce qui allait suivre :

— Voltefeu, je vais avoir besoin de ta selle. Je vais l'emporter à l'intérieur. Et quand je ressortirai…

Elle ne termina pas sa phrase, engloutie par la crête d'une vague particulièrement imposante.

Une fois revenue à l'air libre, elle commença à détacher les boucles. Ses doigts frigorifiés étaient malhabiles, mais elle parvint enfin à s'emparer de la selle et du harnachement de son dragon, qu'elle plaça dans les bras de Ronan.

— Emporte ça à l'intérieur !

— Et toi ?

— Je vais m'accrocher aux rênes : tu n'auras qu'à me traîner derrière toi.

Une fois à l'intérieur de la grotte, Cara remercia Madame Hildebrand d'avoir insisté pour apprendre à ses élèves comment seller et desseller un dragon dans l'obscurité. Sur le moment, elle s'était demandé combien de fois dans sa vie elle aurait à se livrer à ce petit exercice. Une seule fois peut-être… Mais si cela devait sauver la vie de Brianna et celle de Monty…

— Je raccourcis les rênes, expliqua-t-elle à Brianna, je les double pour les renforcer et je les place autour de la selle pour faire une sorte de courroie. Les ailes de Monty ne fonctionnent pas, mais celles de Voltefeu, si. Il n'est pas assez fort pour soulever Monty dans les airs, mais si elle s'accroche, il pourra l'aider à escalader la falaise.

Elle tira sur les sangles.

— Voilà ! Maintenant, aide-moi à installer la selle sur Monty.

Dans le noir et aux prises avec de l'eau dont le niveau ne cessait de monter, c'était une tâche ardue. Mais les deux filles avaient harnaché des dragons ensemble bien des fois et elles trouvèrent d'instinct les bons gestes.

Lorsqu'elles en eurent terminé, la poche de survie à l'intérieur de la grotte était réduite à une bulle d'air.

— C'est fait, lâcha Cara avant d'être submergée.

Elle ressortit le temps de dire à Brianna :

— Va avec Ronan, je m'occupe de Monty.

— Monty d'abord ! répondit Brianna.

— Pas le temps de…

De nouveau, Cara disparut sous l'eau.

— … discuter. Monty ne partira pas avant toi. Tu le sais, alors file ! Fais-moi confiance !

— Inspire trois fois profondément, ordonna Ronan à Brianna. Une… deux… trois…

Puis plus rien. Monty poussa un petit cri d'effroi. Cara l'attrapa par la tête et lui dit :

— Brianna est partie. Nous devons la rejoindre, d'accord ! Alors, Monty, vas-y ! Suis Brianna !

La traversée sous l'eau fut beaucoup plus lente et pénible que les précédentes. Cara était fatiguée et Monty, qui tenait à peine dans la grotte, se déplaçait avec difficulté. Cara devait constamment tirer sur le harnais.

Une fois à l'air libre, une autre menace se matérialisa : à tout moment, Monty risquait d'être projetée par les vagues contre les rochers. Cara se hissa tant bien que mal sur la selle et agita les rênes en direction de Voltefeu, qui tournoyait à quelques mètres au-dessus de l'eau.

— Attrape-les, Voltefeu ! Et aide Monty à escalader la falaise ! Tu comprends ?

Voltefeu continua à tournoyer, incertain quant à la conduite à tenir. L'espace d'un instant, Cara fut au désespoir. Voltefeu était le dragon le plus intelligent qu'elle ait jamais connu. Il fallait qu'il comprenne ce qu'elle attendait de lui. Il le fallait à tout prix !

Enfin, au grand soulagement de Cara, Voltefeu plongea vers elle et se saisit des rênes.

— Bravo ! s'écria Cara en lui montrant la falaise. Soulève-la, Voltefeu ! Aide-la à gravir la falaise !

Juste au moment où une vague immense accompagnait Monty, Voltefeu la hissa jusqu'à la falaise d'un puissant battement d'ailes et Monty, les serres en avant, s'agrippa à la roche de toutes ses forces.

Pendant quelques secondes, les deux dragons restèrent dans cette position. Puis, sentant que Voltefeu la tirait vers le haut, Monty commença l'ascension.

— Cara ! appela alors
Ronan.

Il maintenait en appui sur
son épaule la tête de Brianna,
pour qu'elle reste hors de l'eau,
mais elle avait les yeux fermés.

— Brianna !

— Nous devons la sortir de
l'eau au plus vite. Seul ton dragon
du ciel peut y arriver.

— Je sais, mais il ne peut pas
lâcher Monty avant qu'elle arrive au
sommet !

Elle se tourna vers la falaise et hurla
de toutes ses forces :

— Vas-y, Monty ! Plus vite, plus vite !

Mais c'est tout le contraire qui semblait
se produire. Plus la dragonne gagnait en
altitude, plus elle ralentissait, sans doute
exténuée par tant d'efforts.

Voltefeu tirait de toutes ses forces mais,
soudain, Monty lâcha prise et se mit à
glisser vers le bas.

Cara ferma les yeux.

La bataille était perdue. Elle aurait tout tenté,
mais elle n'avait pas réussi l'impossible.

C'est alors que, couvrant le vacarme des flots en
furie et la plainte sinistre de la Grotte, les mugissements de dragons se firent entendre. Une bonne demi-

douzaine de dragonniers venaient d'atterrir au sommet de la falaise. Cara avait reconnu Voldenuit, l'imposant dragon de combat de Galen. Wony avait rempli sa mission !

Aussitôt, certains des dragonniers descendirent en rappel le long de la falaise, munis de cordes épaisses. Ils les passèrent tout autour du corps de Monty et ceux qui étaient restés au sommet la hissèrent alors jusque sur la terre ferme.

Voltefeu lâcha les rênes et redescendit vers la mer pour récupérer Cara. Celle-ci lui fit signe d'aller d'abord se saisir de Brianna. Le dragon comprit immédiatement cet ordre et vint poser délicatement ses serres autour des épaules de Brianna, pour ne pas la blesser.

Ronan se hâta de rejoindre Cara et la prit à son tour dans ses bras pour la protéger des vagues.

— Tu vas bien ?

— Oui, Ronan… Comment pourrai-je assez te remercier ?

— Tu le feras un autre jour, répondit-il. Il faut que j'aille retrouver Mordannsair, sinon il va s'inquiéter. Reviens me voir après la tempête, d'accord !

— Après la tempête, d'accord, répéta-t-elle, comme en écho.

Elle sentit alors les serres puissantes de Voltefeu sur ses épaules et se trouva arrachée à l'emprise des flots.

Elle avait dépensé tant d'énergie au cours de ces dernières heures, la tension éprouvée avait été si forte

qu'elle se laissa complètement aller, telle une poupée de chiffon.

Mais une fois que le dragon l'eut déposée au sommet de la colline, Cara dut de nouveau affronter l'angoisse.

Une angoisse indicible, que partageait Monty et les dragonniers présents.

Celle de découvrir Brianna, étendue sur le dos, inanimée.

Elle ne semblait plus respirer.

Une longue plainte sinistre monta alors depuis la Grotte des soupirs, qui enveloppa tous ceux qui contemplaient ce lugubre spectacle.

22

Cara était assise au chevet de Brianna, à l'infirmerie de La Pointe Sud. Son amie dormait dans des draps aussi blancs que la neige fraîchement tombée.

Elle n'avait pas voulu la réveiller en arrivant, aussi avait-elle disposé ses fleurs dans un vase, qu'elle avait ensuite placé sur la petite table qui se trouvait à côté du lit, juste devant la fenêtre.

Brianna remua et entrouvrit les yeux.

— Bonjour, la belle au bois dormant ! fit Cara avec un large sourire.

Brianna s'efforça elle aussi de sourire, mais sans succès.

— Je suis dé… so… lée…

— Non, c'est moi qui suis désolée, répliqua Cara. J'ai oublié ce qui comptait vraiment.

— Je l'avais oublié aussi…

— Tu veux que nous fassions un concours de culpabilité ? ironisa gentiment Cara. Je ne suis pas sûre que tu gagneras…

Brianna prit un air dépité et un long silence s'ensuivit. Cela se produit parfois lorsque deux personnes ont tant de choses à se dire qu'elles ne savent par où commencer.

Pour briser ce silence, Cara demanda :

— Nous avons bien cru t'avoir perdue, au sommet de la falaise. Comment te sens-tu, maintenant ?

Brianna ouvrit tout grands les yeux et ricana :

— En voilà une drôle de question à poser à quelqu'un dans mon état !

Puis elle pouffa, avant de porter les mains sur ses côtes.

— Ne me fais pas rire !

— Les médecins disent que tu te remets très bien, dit Cara. C'est la raison pour laquelle ils m'ont autorisée à te rendre visite. Apparemment, ils ne laissaient entrer que ton père et ta mère, la semaine dernière.

— Ne m'en parle pas ! s'écria Brianna. Chaque fois que j'ouvrais l'œil, je voyais maman pleurer et papa agiter l'index sous mon nez. Je l'ai entendu raconter dix fois qu'il avait toujours su que quelque chose de terrible m'arriverait si je traînais auprès de dragons plutôt que de me consacrer aux poissons. Et je n'avais même pas la force de lui faire observer que c'est la mer qui avait failli avoir ma peau !

Elle observa un nouveau silence puis, d'un ton plus grave, elle ajouta :

— Je n'ai jamais eu l'occasion de te remercier comme il convenait de m'avoir sauvé la vie. Ce que j'ai pu être bête !

— Allons, ne recommençons pas, d'accord ? Laisse-moi plutôt te donner les dernières nouvelles. Papa a installé Voltefeu et Monty dans une ferme, non loin d'ici. Ils n'étaient pas en état de rentrer à la Vallée. Wilf s'occupe d'eux. L'aile de Monty commence déjà à aller mieux. Albéric l'a opérée et il est très satisfait du résultat. Tu le connais : il n'est pas du genre à faire étalage de modestie…

Une lueur malicieuse brilla dans les yeux de Brianna.

— Tiens, je t'ai apporté des gâteaux de la part de Gerda. C'est Wony qui les a emballés. Elle a dit de te dire bonjour et de t'embrasser très fort.

— Tu la remercieras pour moi, n'est-ce pas ? Je sais qu'elle a été très courageuse. Sans elle, je ne sais pas où je serais aujourd'hui…

— Tu le lui diras toi-même, répondit Cara. Elle va venir te rendre visite demain en compagnie de Wilf.

Soudain, Brianna fondit en larmes.

— Oh, Cara, je ne veux plus jamais monter de dragon…

— En voilà une idée ! Tu sais ce que dit Madame Hildebrand : si on tombe, il faut remonter dessus aussitôt.

— Tu ne comprends pas, Cara... J'ai fait trop de mal à Monty. Je ne suis pas une bonne dragonnière. Jamais nous ne retrouverons notre Pacteconfiance et je ne veux plus la mettre en danger à cause de mon incompétence.

Cara manqua s'étrangler, mais elle prit sur elle-même pour ne pas ajouter à la confusion dans laquelle nageait de toute évidence Brianna.

— Tu te trompes. Après ce que vous avez vécu ensemble, toi et Monty, tu vas vite t'apercevoir que votre Pacteconfiance n'a jamais été aussi solide.

Elle aurait voulu trouver les mots pour lui rappeler tout le bonheur que les dragons offrent à celui qui sait les monter. La grâce de leurs mouvements, leur puissance. Lui rappeler cette sensation vertigineuse qui s'empare du dragonnier lorsque sa monture l'emporte vers le ciel et la liberté, loin de l'ennui du quotidien. L'amitié intime qui lie le dragonnier à sa monture. L'intensité indicible du Pacteconfiance qui les unit.

— Et puis je ne veux jamais remettre les pieds à la Vallée des dragons, continua Brianna. Je ne supporterais pas les moqueries de tout le monde.

— Arrête, Brianna ! interrompit Cara. Personne ne se moquera de toi. Tout le monde attend ton retour avec impatience. Tu nous manques à tous, figure-toi ! Pourquoi crois-tu que le haras entier s'est mobilisé pour te chercher pendant trois jours d'affilée dans la pluie et le vent ?

— Je sais ! répondit Brianna en sanglotant. Et justement, comment pourrai-je jamais vous remercier assez ?

— Eh bien, c'est facile : en revenant parmi nous et en remontant en selle.

Brianna soupira.

— Vraiment… ? Je vais réfléchir… En tout cas, je ferai de mon mieux pour me remettre bien vite et aller te voir concourir au Championnat de l'île.

— Je n'irai pas au Championnat.

Brianna la fixa, interloquée.

— Ah non ? Pourquoi pas ? Tu es la meilleure dragonnière et tu montes le meilleur dragon de Havremer…

— Parce que Voltefeu ne sera pas en état de concourir. Albéric a diagnostiqué plusieurs déchirures musculaires et m'a interdit de le monter pendant six semaines. Et papa a dit deux mois…

Brianna parut désemparée.

— Oh non, Cara, quelle guigne ! Je suis tellement désolée pour toi.

— Pas moi. Tu sais, comme je l'ai dit, j'ai oublié ce qui était vraiment important. Quand nous étions à votre recherche, je me suis souvenue de ce qu'avait dit Hortense : « Les amis comptent davantage que les rosettes. »

Brianna fit une moue désopilante.

— Je n'aurais jamais cru entendre un jour Cara de la Vallée des dragons avouer qu'elle était d'accord avec Hortense de la Tarasque !

— Et pourtant, c'est vrai, dit Cara en serrant la main de Brianna dans la sienne. Ce qui est triste pour Hortense, c'est qu'elle n'en croit pas un mot...

— Hum... !

Cara et Brianna sursautèrent et regardèrent en direction de la porte. Galen se tenait dans l'encadrement.

C'était un homme de grande stature, mais qui savait se faire discret, à la manière des grands chasseurs. Ni l'une ni l'autre n'avaient remarqué sa présence.

— Comment va notre patiente ? demanda-t-il.

La visage de Brianna vira instantanément au rouge vif et elle essaya de se redresser en prenant appui sur son bras droit, toujours aussi douloureux.

— Ne bouge pas ! ordonna Galen. Comment va ton bras ?

— J'ai encore mal, mais il n'est pas cassé, répondit-elle d'un air penaud. Merci, Galen.

— Wilf m'a dit que les blessures de Monty se résorbaient à un rythme satisfaisant. Il s'en occupe comme un vrai professionnel.

Galen s'assit sur le bord du lit, qui grinça sous la charge.

— Quant à toi, tu as une mine de papier mâché. Il te faut du repos et de quoi te sustenter.

Il lorgna sur les gâteaux de Gerda.

— Et je vois que tu as de quoi...

Puis il se racla la gorge, manifestement embarrassé.

— Hum... Je voulais te dire que... hum... pour ce qui est de la patrouille...

— Je comprends, Galen, répliqua Brianna posément. J'ai fait trop de bêtises, je le sais. Je sais aussi que tu ne m'accepteras jamais dans ton équipe et, rassure-toi, je ne t'embêterai plus avec ça.

— Mets-toi à ma place, petite, expliqua Galen. Une dragonnière qui part à la chasse sans autorisation et s'écrase dans un bosquet en occasionnant des blessures à sa monture, qui a fait une saison catastrophique en compétition, qui a été victime d'une collision frontale pendant la compétition annuelle de la Vallée des dragons et qui, pour tout arranger, s'est perdue en mer…

Des larmes perlèrent aux yeux de Brianna.

— Sans compter qu'elle n'a jamais remporté une épreuve en junior !

Galen secoua sa tête grisonnante.

— Non, chacun comprendra que je ne puisse pas l'accepter dans mon équipe. Même avec la meilleure volonté du monde !

Cara aurait voulu le gifler. N'avait-il donc aucun cœur ? Pourquoi torturait-il ainsi Brianna ?

Pour sa part, Brianna le regardait dans les yeux, sans mot dire.

L'œil sec, Galen reprit :

— D'un autre côté, une dragonnière qui survit trois jours sur une plage de galets sans rien à manger, qui soigne les blessures de sa dragonne sans rien d'autre sous la main que des algues et de la gentillesse, qui refuse de céder à la panique lorsqu'elle manque se noyer deux fois dans la même journée et que tout espoir semble perdu, qui insiste pour que sa monture soit secourue avant elle et dont Madame Hildebrand dit que c'est l'une des meilleures qu'elle ait jamais formées… ça donne à réfléchir. Et à dire vrai, j'aimerais beaucoup la compter parmi les membres de mon équipe.

Il se leva.

— Albéric pense que Monty sera sur pied à la fin de la saison des feuilles mortes. Alors, arrange-toi pour être prête dans les jours qui suivront. Je t'attendrai pour ta première séance d'entraînement à l'aube du premier jour de Ventmarée. Qu'en dis-tu ?

Brianna porta deux mains à son visage et fut secouée de hoquets. Cara se chargea de répondre à sa place :

— Je la connais : ça veut dire oui.

23

Aux derniers jours de l'automne, après qu'Albéric, Huw, Madame Hildebrand et même Gerda se furent concertés avec solennité, Brianna fut déclarée apte à remonter sur un dragon.

C'est ainsi qu'un beau matin sec et frais, sous le soleil qui brillait fort dans le ciel, Cara et Brianna sellèrent Voltefeu et Monty, parfaitement remis de leurs blessures respectives, et se mirent en route pour la Baie du Peuple des mers, accompagnées de Wony... et même de Wilf : ce dernier brûlait à ce point de faire la connaissance de Ronan qu'il s'était résolu à prendre place derrière Cara.

Après avoir survolé les collines ombragées et la lande désolée qui séparaient la Vallée de la mer, ils serpentèrent au-dessus d'une forêt de chênes et de hêtres dans laquelle dansaient des feuilles rousses et dorées balayées par le vent.

Ils arrivèrent bientôt en vue de la Baie du Peuple des mers.

Quelques instants plus tard, Voltefeu frappait la surface de l'eau de trois coups assourdissants, sous les yeux sceptiques de Wilf.

À quelque distance du rivage, les têtes cornues de capricornes firent leur apparition. Au milieu du troupeau, dans une explosion d'embruns, la silhouette majestueuse de Mordannsair se découpa sur fond de ciel bleu. Frappé de stupéfaction, Wilf partit à la renverse, cependant que Wony battait des mains.

Le dragon de mer décrivit alors un grand arc de cercle au sommet duquel Ronan apparut, assis sur son dos. Puis le berger plongea avec élégance pour gagner le rivage, pendant que Mordannsair allait rejoindre le troupeau.

Quelques secondes plus tard, Ronan prenait place sur son rocher favori, non loin du rivage.

— Te voilà enfin, Cara ! s'exclama-t-il.

— Désolée, mais Voltefeu a mis du temps à se remettre de ses blessures… et Brianna aussi. La voici. Elle voulait te remercier en personne.

— C'était un plaisir, répondit Ronan. Mais il faudra qu'elle m'explique pourquoi elle a eu si peur quand je suis apparu.

— C'est que je t'avais d'abord pris… pour un croque-mitaine, avoua Brianna en rougissant.

— Un quoi ? demanda Ronan.

— Une sorte d'être imaginaire terrifiant.

— Je vois, fit Ronan en se déformant le visage au moyen d'une grimace horrible.

Tous rirent de bon cœur et Cara pointa le doigt vers le nouveau venu dans ces parages.

— Je te présente Wilf, dit-elle en lui faisant signe d'avancer vers le berger.

Le jeune garçon lui tendit une main hésitante, que Ronan serra avec force. Wilf réprima un rictus de douleur. Wony s'avança à son tour en rosissant.

— Heureusement que tu nous as ramené de l'aide à temps, lui dit Ronan. Tu as été très courageuse de voler avec cette tempête.

Wony s'apprêtait à célébrer la bravoure de Frelon lorsqu'un vol de quatre dragons fit son apparition au-dessus des collines, qui se dirigeait tout droit vers la baie et le troupeau de capricornes de Ronan. Cara reconnut immédiatement la couleur de l'uniforme que portaient les dragonnières.

— Hortense ! s'exclama-t-elle se serrant les poings. Comment ose-t-elle revenir ici ?

— Ce n'est pas la première fois, fit observer Ronan.

Cara se tourna vers Brianna et Wony :

— Les filles, en selle ! Nous allons leur donner une leçon qu'elles n'oublieront pas !

Et elle partit en courant vers Voltefeu. Quelques instants après, elle se lançait à la poursuite d'Hortense et de sa clique, flanquée de Brianna et de Wony.

La confrontation avec les amies d'Hortense fut brève. Leurs dragons, qui n'avaient pas oublié ce que leur avait infligé le Crête d'or lors de leur dernière rencontre, rendirent les armes sans avoir combattu.

Restaient Hortense et Ernestine. Cara leur adressa le signe qui voulait dire : « Allons discuter sur la terre ferme ! »

Avec un sourire narquois, Hortense hocha la tête et conduisit ses campagnes jusque sur les roches où attendaient Ronan et Wilf.

Après avoir mis pied à terre, Hortense contempla ses ennemis avec dédain, affectant de ne pas voir Ronan.

De sa voix la plus traînante, elle déclara :

— Cara, tout cela devient vraiment trèèèèès ennuyeux. Chaque fois que nous voulons prendre un peu de bon temps, tu nous en empêches.

— Prendre du bon temps ! répéta Cara, écoeurée.

Quant à Ronan, il frappa l'eau de sa queue avec colère.

— Attends que je raconte ça à mon père ! lâcha alors Hortense avec hargne.

— Je me moque complètement de ton père, répliqua Cara d'un ton cinglant. Quant aux capricornes, ils appartiennent à Ronan.

— Vraiment ? fit Hortense, feignant l'incrédulité. Ont-ils été marqués au fer rouge ? Existe-t-il un certificat de propriété ?

Hortense se tourna vers ses comparses. L'une d'entre elles s'avança et lança :

— Lord Torin dit qu'on peut chasser toutes les créatures de la mer…

— Parce qu'elles sont sauvages et n'appartiennent à personne, renchérit une deuxième.

— Elles m'appartiennent à moi, protesta Ronan.

Hortense se tourna vers le berger des mers et haussa les sourcils d'un air moqueur :

— Ça par exemple ! Le petit ami à queue de poisson de Cara sait parler !

— Il a un nom, et ce n'est pas mon petit ami !

Cara s'interrompit, avant de rejeter la tête en arrière et d'éclater de rire.

— Hortense, tu es unique. Je n'irais pas jusqu'à dire que si tu n'existais pas, il faudrait t'inventer… Car tu es la pire des créatures de l'archipel de Brésal. C'est un don, j'imagine, que d'être capable de se rendre détestable aux yeux de tous.

Hortense, éberluée par cette tirade, ne trouva rien à répondre.

— Tu as réussi à nous dresser l'une contre l'autre, moi et Brianna. Mais tu ne nous feras pas le coup deux fois, n'est-ce pas, Brianna ? Plus personne ici ne prêtera plus jamais la moindre attention à tes paroles venimeuses.

Livide de colère, Hortense pointa son fouet en direction de Cara.

— Que veux-tu que ça me fasse ? Je suis la fille du Seigneur de Havremer, j'ai tous les droits. Tu te crois

maligne, avec ton dragon
extraaaaaaooooooooordinaire ?

Aussitôt, Voltefeu poussa un cri et s'envola de son rocher.

— C'est ça, déguerpis, espèce de wiverne obèse ! Et j'en ai autant à votre service, tous autant que vous êtes ! Bande de misérables bons à rien tout juste capables de décrotter des écailles de dragon !

Trop occupée à déverser son fiel, Hortense ne s'aperçut pas qu'une ombre noire l'enveloppait, qui grossissait à vue d'œil.

— Voltefeu, non ! s'écria Cara.

Mais l'animal fit acte d'indiscipline notoire. Il se saisit d'Hortense, qui poussait des cris d'orfraie, et l'entraîna vers le troupeau de capricornes, qui batifolaient un peu plus loin.

— J'ai l'impression que nos amis vont prendre du bon temps, commenta malicieusement Wilf.

Et, de fait, pendant les minutes qui suivirent, Hortense fut transformée en projectile hurlant qui dansait sur les flots, de cornes en cornes...

Cara jeta un coup d'œil sur Ernestine à la dérobée. La seule qui soit restée silencieuse, elle observait la fille du Seigneur de Havremer avec un petit sourire en coin.

— Au secouuuuuurrrss !! Faites quelque chose ! hurlait Hortense à qui ne voulait pas l'entendre.

Ronan se tourna vers Cara et Brianna :

— Si méchante qu'elle soit, je ne lui souhaite pas de mal.

Cara hocha la tête.

— Tu as sans doute raison… Mais attends juste une seconde !

Elle joignit les mains pour s'en servir comme d'un porte-voix :

— Hortense? Veux-tu que Ronan rappelle ces charmantes bestioles?

— Bien sûr! Aïe! Aïe!

— Comment le pourrait-il, si ce sont des animaux sauvages, comme tu dis?

— Je ne sais pas, je m'en moque, mais qu'il les rappelle!

— S'il le leur demande et qu'ils lui obéissent, ça prouvera qu'ils lui appartiennent, n'est-ce pas?

— Oh, toi… Aïe! Mais arr-ê-tez! Aïe!

Et d'effectuer une nouvelle cabriole dans les airs.

— N'est-ce pas?

— Oui, oui, tout ce que tu veux!

— Alors si ce ne sont pas des animaux sauvages et qu'ils appartiennent à Ronan, tu promets que tu ne les chasseras plus?

— Je le promets! Débarrasse-moi d'elles, de grâce!

Cara adressa un signe à Ronan, qui se mit aussitôt à frapper l'eau de sa queue. Mordannsair jaillit des flots et nagea en direction des capricornes, qui déguerpirent dans toutes les directions. Ronan plongea alors pour ramener Hortense.

Elle avait eu plus de peur que de mal. Mais bien qu'elle soit en piteux état, les cheveux pleins d'algues, elle n'en lâcha pas moins, avec morgue:

— C'était une tentative délibérée de me noyer! Je vais de ce pas prévenir mon père!

— Vas-y, Hortense, répondit Cara. Et pendant que tu y seras, mets-le au courant de ta promesse.

— Je me vengerai, Cara ! Tu ne perds rien pour attendre !

Son orgueil blessé en bandoulière, Hortense tourna les talons et se remit en selle, suivie des deux jeunes dragonnières qui l'abreuvaient de compliments. Mais Ernestine ne répondit pas à l'invite d'Hortense et resta sur la plage après que la fille de Lord Torin eut décollé.

— Cara, je te dois des excuses, dit-elle.

— Pourquoi donc ? demanda Cara.

— Parce que, lorsque Hortense t'a persuadée de te saborder, à la Tarasque, elle l'a fait pour que je remporte l'épreuve.

Brianna fit un pas en avant, indignée. Mais Cara lui fit signe d'attendre la suite.

— Je ne savais pas ce qu'elle mijotait, reprit Ernestine, et je l'aurais arrêtée si je l'avais pu. Je regrette…

— Cela ne t'a pas empêchée de participer aux épreuves organisées chez nous et de décrocher le titre Junior, intervint Brianna. Or, tu ne l'aurais pas remporté si Cara avait concouru.

Ernestine haussa les épaules.

— Pensez ce que vous voulez ! Tout ce que je peux vous dire, c'est que je ferai en sorte qu'Hortense tienne sa promesse, et aussi que nous nous retrouverons la saison prochaine pour de nouvelles compétitions. Que la meilleure gagne !

Elle s'apprêtait à décoller lorsque Cara l'arrêta.

— Ernestine, attends ! Une question : comment fais-tu pour supporter Hortense ?

Ernestine inclina la tête de gauche, puis de droite et répondit d'un ton posé :

— Tout le monde n'a pas la chance d'être la fille du Seigneur de Havremer ou du Maître des dragons…

Elle agita ses rênes et Feu d'orage s'éleva dans les airs, laissant toute l'assemblée quelque peu surprise par cette dernière sortie.

— Avant que nous ne nous séparions, fit Brianna, j'aimerais honorer une coutume brésalienne ancestrale. Tendez vos mains, comme ceci.

Et de prendre la main de Cara, qui prit celle de Wony, qui s'empara de celle de Wilf, qui tendit la sienne à Ronan. Lorsqu'un cercle fut formé, Brianna entonna un serment d'amitié traditionnel :

« Que la paix de la vague en mouvement soit avec toi
Que la paix de l'air qui circule soit avec toi…
Amis nous étions au départ,
Amis nous resterons toujours,
Amis nous sommes, amis nous resterons,
Amis pour l'éternité. »

Dans les eaux de la baie, Voltefeu se mit à éclabousser les capricornes en folie, qui avaient refait surface et entamèrent aussitôt une partie de saute-mouton.

Quant à Mordannsair, il s'approcha prudemment de Voltefeu et les deux dragons se frottèrent le museau.

Cara arborait un sourire éclatant. La jalousie et le soupçon sont des sentiments très puissants, capables de faire que deux êtres se déchirent. Mais la gentillesse et la bonne volonté sont encore plus fortes. Plus durables. Capables de soulever des montagnes.

C'est ainsi que l'eau et le feu se trouvèrent réconciliés. Pour le meilleur, mais plus jamais pour le pire.

AUTORITÉ BRÉSALIENNE DES ÉLEVEURS DE DRAGONS

Extraits de

COMMENT PRENDRE SOIN DE SON DRAGON :

Manuel officiel de la Société des Dragons Brésalienne

Reproduction autorisée

Chapitre 2

COMMENT PRENDRE SOIN DE SON DRAGON

Comme les êtres humains, les dragons sont différents les uns des autres; chacun a sa personnalité et on ne peut donc pas tous les traiter de la même manière.

Afin de nouer avec sa monture un Pacteconfiance durable, le dragonnier doit établir avec elle une relation de confiance et se montrer attentif, compatissant et compréhensif. À force de passer du temps avec l'animal et de l'étudier, le dragonnier en vient à connaître sa personnalité et vice versa.

Le pansage

Le pansage contribue au développement du Pacteconfiance. Un contact physique et des soins prodigués tous les jours nourrissent la relation intime qui s'instaure peu à peu entre le dragonnier et sa monture.

Le pansage doit intervenir avant et après l'exercice. Il est important d'être méticuleux.

Comment panser un dragon

• Réunis tout ton nécessaire de pansage. Il est préférable de ranger ensemble tous les instruments : c'est plus net et plus pratique.

• Parle à ton dragon avant de t'en approcher : il faut éviter de l'effrayer, ce qui provoquerait un jet de feu involontaire !

• En commençant par la tête, ôte la boue et la poussière collées sur les écailles avec un chiffon et de l'eau savonneuse.

• Gratte les résidus incrustés entre les écailles à l'aide d'un cure-écailles (figure 2). Insère l'extrémité de tes doigts entre les écailles pour t'assurer qu'il ne reste plus aucune trace de saleté.

• Maintenant, polis le corps du dragon à l'aide de tes brosses (figures 3 à 6). Utilise des brosses d'un calibre inférieur pour les dragonneaux, car leurs écailles ne sont pas aussi résistantes que celles des adultes.

• Progresse lentement le long du corps, en prenant soin de ne pas érafler de zone sensible.

• À l'aide du cure-pieds (figure 9), ôte la saleté qui se trouve entre les griffes.

• Polis les écailles avec un chiffon sec et propre et de l'onguent.

• Continue par les membranes des ailes (assure-toi que ton dragon dispose d'un espace suffisant pour les étendre complètement, de sorte que toute la surface des membranes soit exposée). Avec un chiffon doux et propre, passe de l'huile sur les membranes, en commençant par celles qui sont le plus près du corps et en terminant par la pointe des ailes.

• Enfin, applique de la graisse sur les griffes des serres et polis-les avec un chiffon ouaté.

Pour la repousse des écailles, le curage des dents et la coupe des griffes, voir **chapitre 4 : La santé du dragon**.

NÉCESSAIRE DE BOUCHONNAGE

Figure 1. « Le célèbre onguent pour écailles du Docteur Pomapi »
Onguent pour écailles

Figure 2
Cure-écailles
– pour nettoyer entre les écailles

Figure 3 à 6
Divers types de brosses à polir
– pour polir les écailles

N°1 Brosse dure

N°2 Bouchon

N°3 Brosse douce

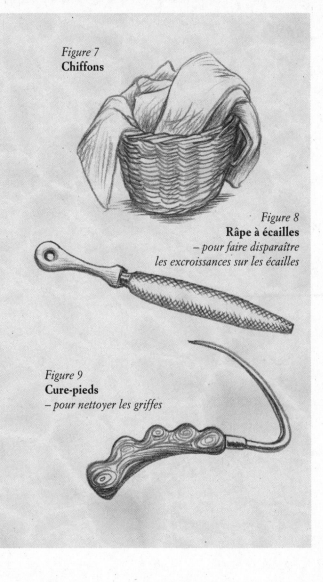

Figure 7
Chiffons

Figure 8
Râpe à écailles
*– pour faire disparaître
les excroissances sur les écailles*

Figure 9
Cure-pieds
– pour nettoyer les griffes

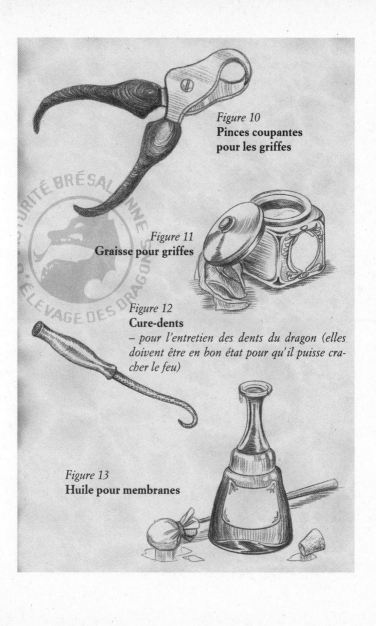

Figure 10
**Pinces coupantes
pour les griffes**

Figure 11
Graisse pour griffes

Figure 12
Cure-dents
*– pour l'entretien des dents du dragon (elles
doivent être en bon état pour qu'il puisse cracher le feu)*

Figure 13
Huile pour membranes

AUTORITÉ BRÉSALIENNE D'ÉLEVAGE DES DRAGONS

« Pour l'éditeur, le principe est d'utiliser des papiers composés de fibres naturelles, renouvelables, recyclables et fabriquées à partir de bois issus de forêts qui adoptent un système d'aménagement durable. En outre, l'éditeur attend de ses fournisseurs de papier qu'ils s'inscrivent dans une démarche de certification environnementale reconnue. »

Composition PCA - 44400 Rezé

Achevé d'imprimer en Italie par Canale SpA
32.03.2875.6/01 – ISBN : 978-2-01-322875-6
Loi n° 49-956 du 16 juillet 1949 sur les publications destinées à la jeunesse
Dépôt légal : mars 2010